France Choquette
Mario Ducharme

Cahier d'activités
pour les enfants de 9 et 10 ans

TRÉCARRÉ

Conception graphique
Christine Battuz

Illustrations
Christine Battuz

Mise en pages
Ateliers de typographie Collette inc.

Dépôt légal – 2e trimestre 1998
Bibliothèque nationale du Québec

ISBN 2-89249-472-9

Imprimé au Canada
01 02 03 00 99 98

Éditions du Trécarré
Saint-Laurent (Québec) Canada

Nous reconnaissons l'aide financière du gouvernement du Canada par l'entremise du Programme d'Aide au Développement de l'Industrie de l'Édition pour nos activités d'édition.

Table des matières

Attention, attention... j'arrive !

La santé avant tout !

Moi j'embarque, et toi ?

Le travail ne m'effraie pas !

Ce qui compte, c'est de participer !

Au naturel !

6

Attention, attention... j'arrive !

Présentation

Hé ! Salut ! Tu dois bien te demander qui je suis ?
Eh bien, le gentil reptile qui est devant toi, c'est moi, Croque-Mots. Drôle de nom, diras-tu ? Tu as sans doute raison, mais tu comprendras très vite, durant toutes ces belles activités, que je suis là pour t'aider à croquer des mots. Alors, sans tarder, commençons ! Il y a tellement de choses à découvrir...

Croque-Mots

5-4-3-2-1-0... c'est parti !

1. Première journée d'école de Croque-Mots en 4e année.
L'enseignant de Croque-Mots demande aux élèves de placer en ordre alphabétique les prénoms des amis de la classe.

1. ______ 11. ______ 21. ______
2. ______ 12. ______ 22. ______
3. ______ 13. ______ 23. ______
4. ______ 14. ______ 24. ______
5. ______ 15. ______ 25. ______
6. ______ 16. ______ 26. ______
7. ______ 17. ______ 27. ______
8. ______ 18. ______ 28. ______
9. ______ 19. ______ 29. ______
10. ______ 20. ______ 30. ______

2. Enquêtons !
Réponds aux questions suivantes pour connaître un peu plus les amis de ta classe.

– Combien y a-t-il de garçons dans ta classe ? ______

– Combien y a-t-il de filles dans ta classe ? ______

– Combien y a-t-il de nationalités différentes ? ______

– Combien d'amis ont les cheveux bruns ? ______

roux ? ______

noirs ? ______

blonds ? ______

– Combien d'amis n'ont qu'une seule maison ? ______

– Combien d'amis viennent d'autres écoles ? ______

Une douceur pour mes amis

1. Choisis 10 amis de ta classe et trouve-leur une qualité ou un talent que tu admires en eux.

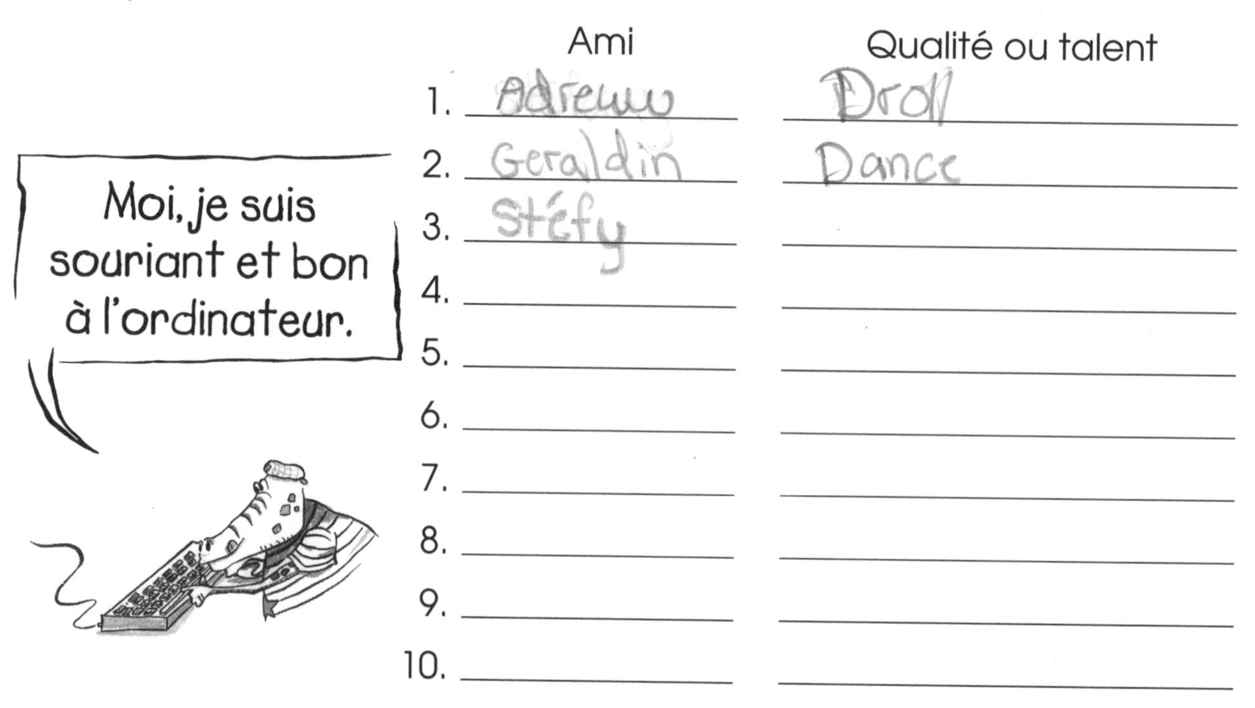

	Ami	Qualité ou talent
1.	Adrewu	Droll
2.	Geraldin	Dance
3.	Stéfy	
4.		
5.		
6.		
7.		
8.		
9.		
10.		

2. Parmi les qualités de tes amis, choisis-en 5 et cherche ces mots dans le dictionnaire. Écris la définition de chaque qualité et la page où tu l'as trouvée.

	Mot	Définition	Page
1.			
2.			
3.			
4.			
5.			

Je suis tout mêlé !

Croque-Mots et son ami s'amusent à mêler les lettres d'un mot. Aide-les à les remettre en ordre.

1. Catégorie : 4 lettres

niba : ____________________

onil : ____________________

uqio : ____________________

ecic : ____________________

êtet : ____________________

svuo : ____________________

fuxe : ____________________

nima : ____________________

2. Catégorie : 5 lettres

socrp : ____________________

egéat : ____________________

èlrev : ____________________

aroid : ____________________

rofec : ____________________

oîteb : ____________________

coéle : ____________________

pelap : ____________________

3. Catégorie : 6 lettres

tédser : ____________________

eugnla : ____________________

nalrec : ____________________

rebomn : ____________________

tvinav : ____________________

noyrac : ____________________

sirous : ____________________

gounex : ____________________

4. Catégorie : 7 lettres

sseivte : ____________________

esrivec : ____________________

réssuir : ____________________

onneriv : ____________________

déderci : ____________________

mulière : ____________________

xaucise : ____________________

nêretef : ____________________

Un peu mêlé ?

Mon cher Croque-Mots, c'est à ton tour...

Lis le petit texte ci-dessous et réponds aux questions de la page suivante.

Un anniversaire bien préparé

Croque-Mots est hyper excité en cette superbe journée du mois de septembre. C'est samedi... mais ce n'est pas pour cette raison qu'il ne tient plus en place. Il est énervé car tous ses meilleurs amis viennent chez lui pour célébrer ses 9 ans. Eh oui ! C'est son anniversaire ! Il est déjà 10 heures et tout est prêt. Sa mère a organisé une belle journée. La maison est transformée pour l'occasion. Il y a de beaux ballons multicolores accrochés à chaque coin des pièces ensoleillées. De majestueuses guirlandes pendent au-dessus des meubles. D'affriolantes gâteries sont disposées un peu partout, telles que des bonbons, des croustilles et des gourmandises de toutes sortes. D'énormes boîtes emballées de papier enfantin s'entassent sur la table à café. Et pour terminer, une musique endiablée nous invite à une fête mémorable, pour notre meilleur ami, Croque-Mots.

Mon cher Croque-Mots, c'est à ton tour... *(suite)*

1. De quoi parle-t-on dans ce texte ?

le fête.

2. Avec quoi la mère de Croque-Mots a-t-elle décoré la maison ?

les ballons muliclores a chaque coin

3. Que mangera-t-on pour cette fête ?

gâteries, des bonbon coustille

4. Trouve deux verbes du 1er groupe, à l'infinitif.

5. Combien y a-t-il d'adjectifs dans ce texte ? beaux muticolore
Écris-les.

belle

6. À l'aide du dictionnaire, cherche la définition des mots encerclés dans le texte.

7. Cherche 5 noms communs dans le texte.

8. Qu'est-ce que Croque-Mots pourrait recevoir comme cadeau d'anniversaire ? (Écris 5 suggestions.)

un DS, un idod, des lego, des carte, des autour

Moi, je participe !

Écris le verbe à l'infinitif qui correspond à chaque carton de responsabilité.

À vos souris !

Conjugue les verbes suivants à l'indicatif, aux temps demandés.

Un courrier électronique mystérieux

Croque-Mots a reçu un message codé par courrier électronique. Aide-le à découvrir le message.

a	b	c	d	e	f	g	h	i	j	k	l	m	n	o	p	q	r	s	t	u	v	w	x	y	z
26	25	24	23	22	21	20	19	18	17	16	15	14	13	12	11	10	9	8	7	6	5	4	3	2	1

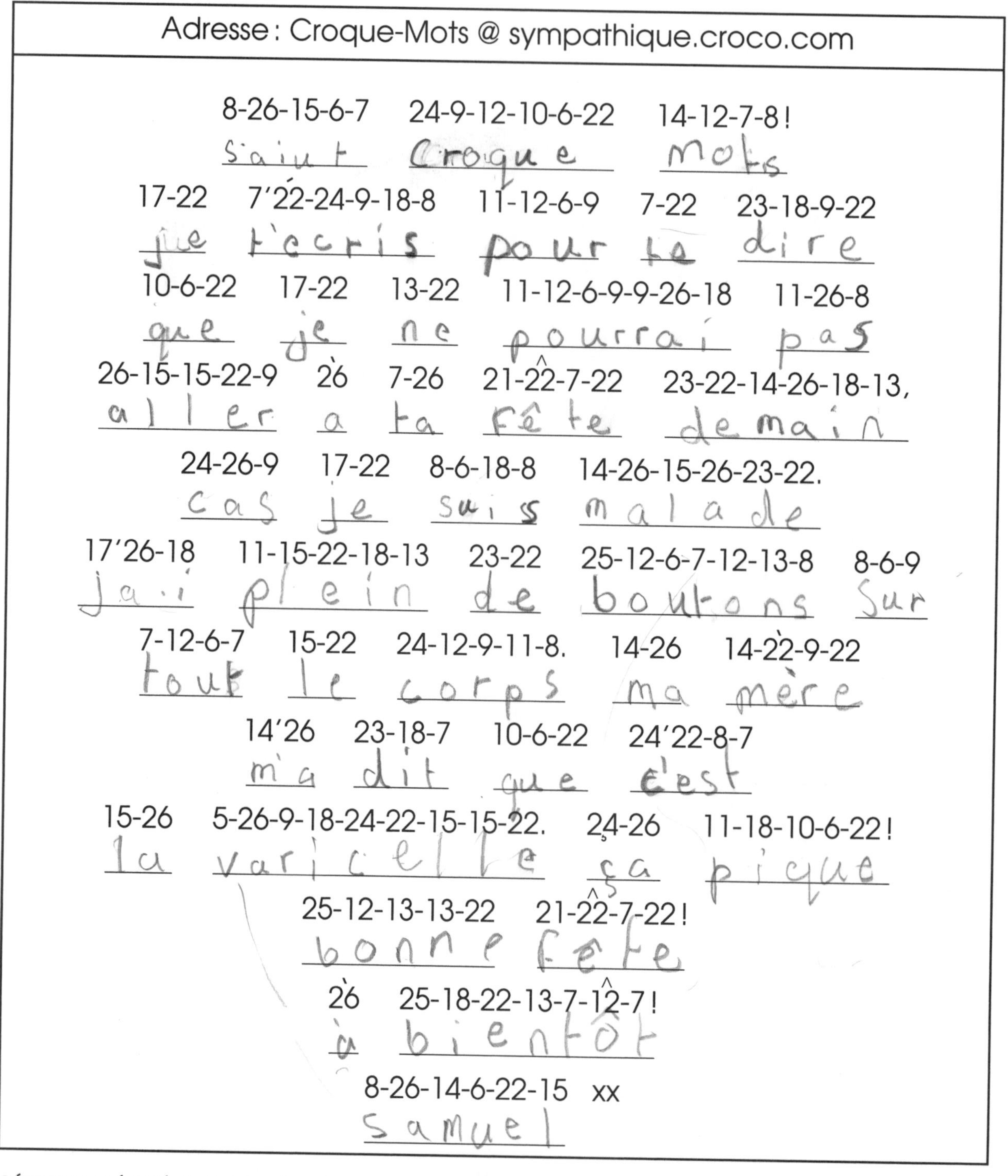

Adresse : Croque-Mots @ sympathique.croco.com

8-26-15-6-7 24-9-12-10-6-22 14-12-7-8 !

17-22 7'22-24-9-18-8 11-12-6-9 7-22 23-18-9-22

10-6-22 17-22 13-22 11-12-6-9-9-26-18 11-26-8

26-15-15-22-9 26 7-26 21-22-7-22 23-22-14-26-18-13,

24-26-9 17-22 8-6-18-8 14-26-15-26-23-22.

17'26-18 11-15-22-18-13 23-22 25-12-6-7-12-13-8 8-6-9

7-12-6-7 15-22 24-12-9-11-8. 14-26 14-22-9-22

14'26 23-18-7 10-6-22 24'22-8-7

15-26 5-26-9-18-24-22-15-15-22. 24-26 11-18-10-6-22 !

25-12-13-13-22 21-22-7-22 !

26 25-18-22-13-7-12-7 !

8-26-14-6-22-15 xx

Mon animal virtuel

Le professeur de Croque-Mots a décrit son animal virtuel préféré avec des termes spéciaux. Tu dois dessiner l'animal sur l'écran. Sois le plus précis possible!

« Mon animal virtuel a… »

1º … une tête de forme octogonale.
2º … un nez aquilin.
3º … des yeux bridés.
4º … une bouche qui fait la moue.
5º … des oreilles décollées.
6º … le poil hérissé.
7º … le corps trapu.
8º … trois pattes crochues.
9º … la queue effilée.
10º … des griffes tranchantes.

Le clavier en folie !

Attention ! Ne laisse pas la folie t'atteindre ! Plusieurs lettres du clavier ont été effacées. En lisant les consignes ci-dessous, essaie de compléter le clavier de l'ordinateur.

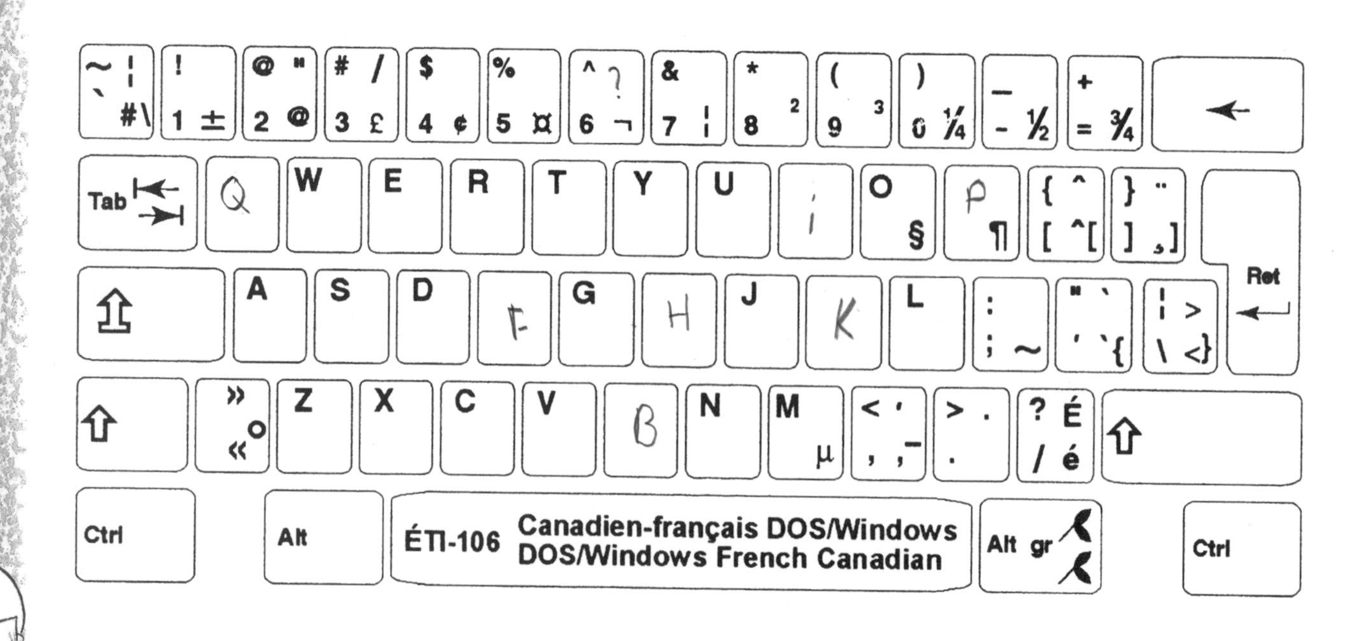

P : C'est une lettre de la 2e rangée en partant du haut.

F : Cette lettre est située dans la rangée de la lettre A. Elle suit immédiatement la lettre D.

H : On la trouve entre deux consonnes.

B : On la place au 6e rang d'une rangée.

I : Entre deux voyelles, elle est très utile.

Q : C'est la première lettre du clavier.

K : Elle précède le L.

? : Elle est sur la même touche que le chiffre 6.

Clique, clique, ma souris...

Croque-Mots travaille un texte sur l'ordinateur. Il doit changer en mots les dessins qu'il voit. À l'aide de ta « souris intellectuelle », transforme ces images en mots.

LES DÉBUTS D'UNE GRANDE CHANTEUSE

Céline Dion, l' ___ ___ o i ___ ___ d'une vie ! Cette

___ ___ ___ ___ t e u ___ ___ de renommée

___ ___ ___ ___ ___ ___ l e a fait ses débuts à

ton âge. Difficile à croire, hein ? Elle répétait ses

c h ___ ___ ___ ___ ___ ___ devant son

___ ___ r ___ ___ ___. À ce moment-là, elle se servait d'une

___ ___ ___ ___ ___ ___ ___ ___ comme micro.

Sa ___ ___ ___ ___ l l e l'encourageait beaucoup

à faire ce métier. Chaque soir en faisant la

v ___ ___ ___ ___ ___ l l ___, son ___ ___ ___ ___

jouait du ___ ___ ___ ___ ___ n, sa ___ ___ ___ ___ ___

de l' ___ c c ___ ___ ___ ___ ___ ___ et ses frères et

sœurs écoutaient la douce et mélodieuse voix de notre star

québécoise...

... Céline Dion !

Naviguer avec les mots...

Remplis les croisés à l'aide des mots qui te sont suggérés tout autour des cases.

Un écran qui dit tout

Lis les consignes dans chaque écran et compose les phrases qui te sont demandées.

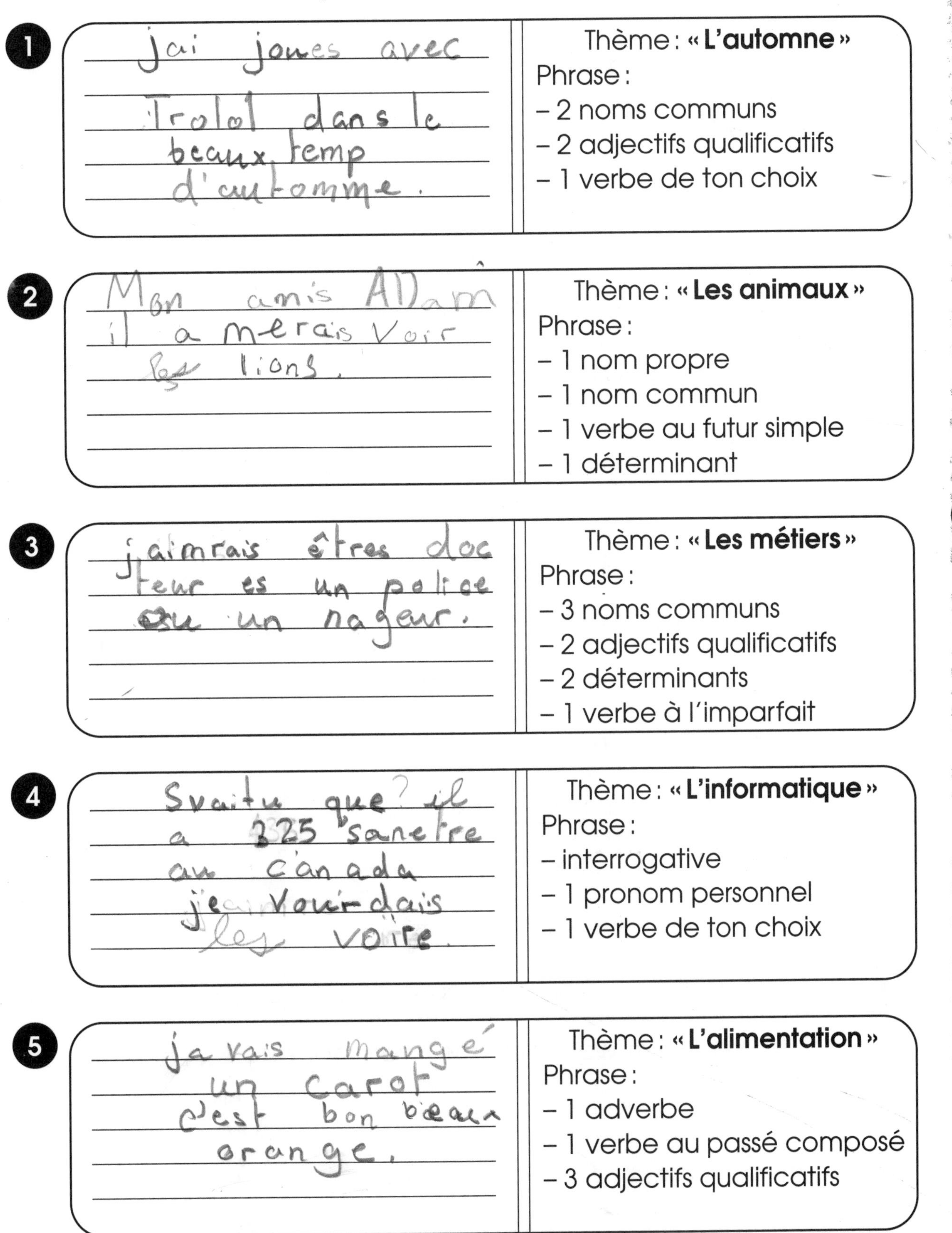

1. Thème : « **L'automne** »
Phrase :
– 2 noms communs
– 2 adjectifs qualificatifs
– 1 verbe de ton choix

2. Thème : « **Les animaux** »
Phrase :
– 1 nom propre
– 1 nom commun
– 1 verbe au futur simple
– 1 déterminant

3. Thème : « **Les métiers** »
Phrase :
– 3 noms communs
– 2 adjectifs qualificatifs
– 2 déterminants
– 1 verbe à l'imparfait

4. Thème : « **L'informatique** »
Phrase :
– interrogative
– 1 pronom personnel
– 1 verbe de ton choix

5. Thème : « **L'alimentation** »
Phrase :
– 1 adverbe
– 1 verbe au passé composé
– 3 adjectifs qualificatifs

Des devinettes bien pensées

Trouve la réponse à chaque petite devinette.

1. Une couleur qui rime avec pneu : ______________
2. Un vêtement qui rime avec détail : ______________
3. Un nom de ville qui rime avec cheval : ______________
4. Un instrument de musique qui rime avec brouette : ______________
5. Une partie du corps qui rime avec couche : ______________
6. Un moyen de transport qui rime avec gâteau : ______________
7. Un nom de fleur qui rime avec pipe : ______________
8. Un nom de pays qui rime avec panda : ______________
9. Un outil qui rime avec château : ______________
10. Un insecte qui rime avec foin : ______________
11. Un ustensile qui rime avec mouche : ______________
12. Un nom d'animal qui rime avec plat : ______________
13. Un nom de ville qui rime avec sec : ______________
14. Un vêtement qui rime avec peste : ______________
15. Un nom de pays qui rime avec biscuit : ______________
16. Une couleur qui rime avec bracelet : ______________
17. Un nom d'animal qui rime avec cou : ______________
18. Un instrument de musique qui rime avec marteau : ______________
19. Un moyen de transport qui rime avec demain : ______________
20. Un nom de fleur qui rime avec chenille : ______________

Couleuvres et escabeaux

Voici un jeu avec lequel tu peux t'amuser en français. Tu peux jouer avec des amis. Tu as besoin d'un dé et de pions. Amuse-toi bien !

* N'oublie pas que si tu ne réponds pas correctement à la question, tu passes ton tour à la prochaine question.

* Pour vérifier tes réponses, utilise ton dictionnaire.

Choisis : barière ou barrière. **33**	Conjugue le verbe « marcher » au futur simple, 1re pers. du plur. **34**	Oh ! Oh ! Dommage, tu avais presque gagné. **35**	ARRIVÉE Super ! Fantastique ! **36**
Quel est le genre du mot « éclair » ? **32**	Quel est l'infinitif de « je pèlerai » ? **31**	Le mot « radio » est-il masculin ou féminin ? **30**	Quel est le verbe qui veut dire « défaire une couture » ? **29**
Quel est le sujet dans la phrase suivante ? Hier soir, Nadia a mangé une carotte. **25**	Oh ! Oh ! Tu as oublié d'apprendre tes mots… **26**	Conjugue le verbe « finir » au passé composé, 2e pers. du plur. **27**	Comment s'écrit le mot « carnaval » au pluriel ? **28**
Quel est le verbe dans la phrase suivante ? Julia préfère le jus au lait. **24**	Trouve un mot de même famille que « amour ». **23**	Que met-on à la fin d'une phrase interrogative ? **22**	Ouf ! Prends un verre d'eau. **21**
Je suis le petit de la vache. **17**	Conjugue le verbe « répondre » au présent de l'indicatif, 1re pers. du sing. **18**	Boni ! Tu travailles fort. Avance de 2 cases. **19**	Trouve un déterminant qu'on peut mettre devant une voyelle. **20**
Classe ces mots en ordre alphabétique : partage, pantin, parachute. **16**	Quel est le féminin du mot « empereur » ? **15**	Quel est le masculin de « directrice » ? **14**	Je suis la femelle du chevreuil. **13**
Trouve un nom propre d'animal. **9**	Boni. Avance de 3 cases. **10**	Vrai ou faux ? 16 s'écrit « saize ». **11**	Repose-toi un peu ! Zzzz… **12**
Si on mélange la couleur bleue au rouge, qu'obtient-on ? **8**	Bravo, tu as eu 30/30 dans ta dictée… Monte ! **7**	Trouve un mot qui rime avec « serpentin ». **6**	Trouve un synonyme au mot « malhabile ». **5**
DÉPART Conjugue le verbe « aimer » à l'imparfait, 2e pers. du sing. **1**	Écris sans faute le nombre « 30 ». **2**	Quel est le pluriel du mot « chandail » ? **3**	Trouve un nom propre de lieu. **4**

Le premier qui obtient un 6 peut commencer à jouer.

Énigmatique

Trouve les énigmes suivantes.

1

- Grâce à moi, on peut entendre le bulletin de circulation en voiture.
- C'est moi qui vous fais écouter la meilleure musique à la mode.

un radio

- Je suis une pièce de la maison.
- Mes parents m'interdisent souvent de manger dans cette pièce.
- Je suis très heureux quand la famille se détend devant le feu de foyer.

le Tabel a manger

3

- Jacques Villeneuve est fou de moi.
- Parfois, je suis très dangereuse.
- Je suis un synonyme de rapidité.

je êtres Fou

4

- Je suis en verre ou en plastique.
- Pour m'ouvrir, on doit utiliser un décapsuleur.

5

- Je suis un cours d'eau important.
- Les rivières se déversent en moi.

un lac

Charivari du vocabulaire

Croque-Mots étudie ses mots de vocabulaire de 4e année. Il s'est amusé à mélanger les mots en charivari. Trouve les mots qui se cachent sur chaque page.

L'explosion des mots !

À l'aide des coordonnées ci-dessous, trouve les mots qui te sont demandés.

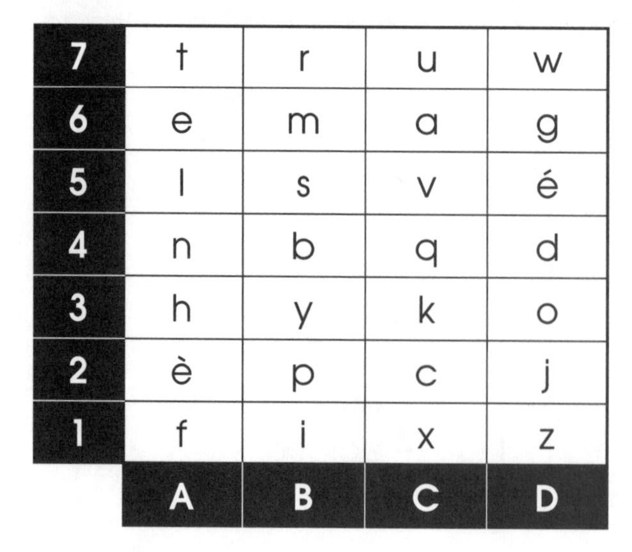

7	t	r	u	w
6	e	m	a	g
5	l	s	v	é
4	n	b	q	d
3	h	y	k	o
2	è	p	c	j
1	f	i	x	z
	A	B	C	D

1er mot :
(D,4) (D,5) (A,7) (B,7) (C,7) (B,1) (B,7) (A,6) ____________________

2e mot :
(B,6) (A,6) (C,7) (B,4) (A,5) (A,6) ____________________

3e mot :
(B,6) (C,6) (C,2) (A,3) (B,1) (A,4) (A,6) ____________________

4e mot :
(B,2) (A,5) (A,6) (C,7) (C,5) (D,3) (B,1) (B,7) ____________________

5e mot :
(B,5) (B,2) (A,6) (C,2) (A,7) (C,6) (C,2) (A,5) (A,6) ____________________

6e mot :
(B,7) (A,6) (A,7) (C,6) (B,7) (D,4) ____________________

7e mot :
(A,7) (A,6) (B,7) (B,7) (C,6) (B,1) (A,4) ____________________

8e mot :
(C,5) (B,1) (C,5) (C,6) (A,4) (A,7) ____________________

9e mot :
(B,5) (D,3) (A,5) (D,4) (C,6) (A,7) ____________________

10e mot :
(B,6) (C,6) (A,5) (C,6) (D,4) (B,1) (A,6) ____________________

Charade, rébus... me trouveras-tu ?

Trouve la réponse aux charades et rébus suivants.

1

– Mon premier : on peut l'ouvrir pour entrer dans une maison.
– Mon deuxième : elles tombent des arbres l'automne.
– Mon tout : c'est un objet où l'on peut mettre notre argent.

Réponse : ______________

2

– Mon premier : c'est le contraire de dur.
– Mon deuxième : c'est le contraire de tôt.
– Mon troisième : c'est un objet cubique, à points noirs, sans accent aigu.
– Mon tout : c'est un condiment qu'on peut mettre dans un hamburger.

Réponse : ______________

3

– Mon premier : c'est une partie du corps située sous la tête.
– Mon deuxième : c'est le contraire de tard.
– Mon tout : c'est un ustensile dont on se sert pour couper.

Réponse : ______________

4

– Mon premier : c'est un parasite qui se tient dans les cheveux.
– Mon deuxième : c'est le contraire de laide.
– Mon tout : c'est un objet où l'on met les ordures.

Réponse : ______________

5

Réponse : ______________

6

Réponse : ______________

Mots... où vous cachez-vous ?

On a caché plusieurs mots dans cette grille. Essaie de les retracer. Les mots sont toujours placés de gauche à droite ou de haut en bas. Tu ne peux pas prendre la même lettre deux fois. Écris ces mots au bas de la grille.

c	a	g	r	é	a	b	l	e	f	i	n
a	d	d	o	u	b	l	e	f	i	l	m
m	é	f	f	r	a	m	b	o	i	s	e
i	t	r	h	ô	p	i	t	a	l	t	e
o	r	a	l	m	m	a	l	a	d	i	e
n	u	î	è	i	o	u	v	e	r	t	e
d	i	c	v	l	m	o	i	t	i	é	m
é	r	h	r	l	p	a	r	e	n	t	o
s	e	e	e	e	n	a	î	t	r	e	r
e	f	a	c	i	l	e	m	o	d	e	t
r	f	l	e	u	v	e	p	â	l	e	e
t	é	t	a	g	e	l	a	n	g	u	e

hôpital

Combien de mots as-tu trouvés ? ____________

Jeu des différences

Les deux illustrations ci-dessous sont identiques, à 10 exceptions près. Quelles sont-elles ?

La santé avant tout !

Je passe à l'action avec une bonne alimentation

Croque-Mots fait attention à son alimentation en mangeant des aliments bons pour la santé. Complète les bulles de la bande dessinée et compose une petite histoire en faisant aussi les dessins.

Un esprit sain dans un corps sain

Croque-Mots adore lire des livres. C'est bon pour l'esprit. Voici le résumé d'un livre qu'il a lu. Et toi, lis-tu des livres i te plaisent? Racontes-en un!

Croque-Mots

Livre: Le pays du papier peint

Auteur: Vincent Lauzon

Résumé: Marie-Aude ne savait pas qu'en choisissant un papier peint plein de dessins elle se retrouverait elle-même dans un monde fantastique.

Nom: ______________________

Livre: ______________________

Auteur: ______________________

Résumé: ______________________

____

____

____

____

____

____

____

____

____

____

____

____

____

Légumes et fruits sur ma liste d'épicerie

Croque-Mots observe la liste de fruits et de légumes que sa mère veut acheter. Place ces mots dans le texte suivant.

Fruits et légumes

groseilles	kaki
brocoli	aubergine
poires	litchis
haricots	chou
carambole	pamplemousses

Promenade chez le maraîcher

Une fraîcheur indescriptible émane du panier à provisions de ma mère. Odeurs fruitées et cultures maraîchères se marient à la perfection. J'ai choisi une belle ____________ jaune en forme d'étoile pour manger comme collation à l'école. Mon frère a préféré un ____________, ce fruit si bizarre qui ressemble à une tomate. Ma mère, elle, raffole des ____________. Ces petits fruits exotiques qui, une fois la pelure piquante enlevée, ressemblent à de gros raisins à noyau noir. ____________ roses à profusion, pour les beaux matins ensoleillés. Comme dessert, quelques ____________ jaunes que l'on nappera de sauce au chocolat et de petites ____________ qui serviront à faire de succulentes tartes. Mmm... délicieux ! Et que dire de ces légumes si appétissants et débordants de saveur ? Un pied de ____________ vert foncé, pour accompagner les soupers si enjoués. Un gros ____________ qui servira à faire déguster les ragoûtants cigares au chou de mon père. Un paquet de ____________ élancés, verts et que j'adore manger un à un, avec mes doigts, bien sûr ! Finalement, une énorme ____________ noire, que ma mère tranchera et fera gratiner au four. Mmm ! En avez-vous déjà l'eau à la bouche ?

Des menus bien équilibrés

Lis chacune des phrases et conjugue les verbes à la bonne personne, selon le contexte de chaque phrase.

1. (éplucher) Chaque matin, j'____________________ mon orange et je la (séparer) ____________________ en quartiers.

2. (prendre) Dorénavant, nous ____________________ notre collation après la récréation du matin.

3. (trancher) Tu as ____________________ les oignons pour la sauce à spaghetti.

4. (brasser) Il faut que tu ____________________ le yogourt avant de le (manger) ____________________.

5. (faire) Si maman voulait, je ____________________ cuire les gâteaux dans le four.

6. (préparer) Samedi prochain, vous ____________________ le buffet pour l'anniversaire de Julie.

7. (vider) Régulièrement, elles ____________________ le congélateur pour le (nettoyer) ____________________.

8. (cuisiner) La semaine dernière, mes parents ____________________ pour le repas de Noël.

9. (ranger) Comme d'habitude, tu ____________________ l'épicerie de la semaine.

Recette santé du petit-déjeuner

À l'aide de ton professeur, dresse une liste des aliments du petit-déjeuner. Par la suite, amuse-toi à faire un sondage dans ta classe sur ce que mangent et boivent tes amis au petit-déjeuner. Ainsi, tu pourras constater quels sont les aliments et les boissons les plus populaires dans ta classe.

Aliments du petit-déjeuner	Nombre de jeunes

Quels sont les aliments et les boissons préférés dans ta classe ?

En accord avec mon corps

Les phrases suivantes sont au singulier. Transforme-les au pluriel. N'oublie pas de bien accorder les verbes.

Ex. : Je prépare le déjeuner.
Nous préparons les déjeuners.

1. Tu récoltes un légume.

____

2. Tu demandes un verre de jus à un professeur.

____

3. Je danse avec une amie.

____

4. Je poserai une question à mon directeur.

____

5. Il chantera devant la classe pour une fête.

____

6. Tu apportais le filet de tennis.

____

7. Si tu voulais, tu donnerais une leçon de piano.

____

8. Je prête mon costume d'éducation physique.

____

9. Je réfléchis à une stratégie amusante.

____

Un exercice... de français !

Exerce-toi à transformer les phrases affirmatives suivantes en phrases interrogatives.

Ex. : Nous revoyons nos mots de vocabulaire.
Revoyons-nous nos mots de vocabulaire ?

1. Je dois appeler mon dentiste pour un nettoyage.

____

2. Vous apportez une crème hydratante pour la peau.

____

3. Nous prendrons une bonne tisane pour relaxer.

____

4. Tu penses à tes mouvements de danse.

____

5. Elle doit maigrir pour sa santé.

____

6. Ils étaient plusieurs à s'entraîner au centre sportif.

____

7. Tu cours avec un ami pour te mettre en forme.

____

8. Je pourrai participer aux olympiades de mon quartier.

____

9. Nous applaudirons les exploits du champion de la classe.

____

Les parties de mon anatomie

Amuse-toi à remettre les lettres en ordre pour former un mot qui se rapporte à une partie de ton corps. Par la suite, compose une phrase de ton choix avec le mot trouvé.

1. | e | n | g | o | u | ⇒ ____________________

Ta phrase : ____

2. | s | r | o | u | c | i | l | ⇒ ____________________

Ta phrase : ____

3. | d | e | c | u | o | ⇒ ____________________

Ta phrase : ____

4. | e | t | o | m | l | l | ⇒ ____________________

Ta phrase : ____

5. | u | q | e | u | n | ⇒ ____________________

Ta phrase : ____

6. | o | m | i | r | l | n | b | ⇒ ____________________

Ta phrase : ____

7. | x | o | r | h | a | t | ⇒ ____________________

Ta phrase : ____

8. | i | e | v | l | h | c | e | l | ⇒ ____________________

Ta phrase : ____

Un moment de détente

Croque-Mots s'amuse à faire rimer des mots. Trouve quatre mots qui riment avec ceux qui te sont donnés.

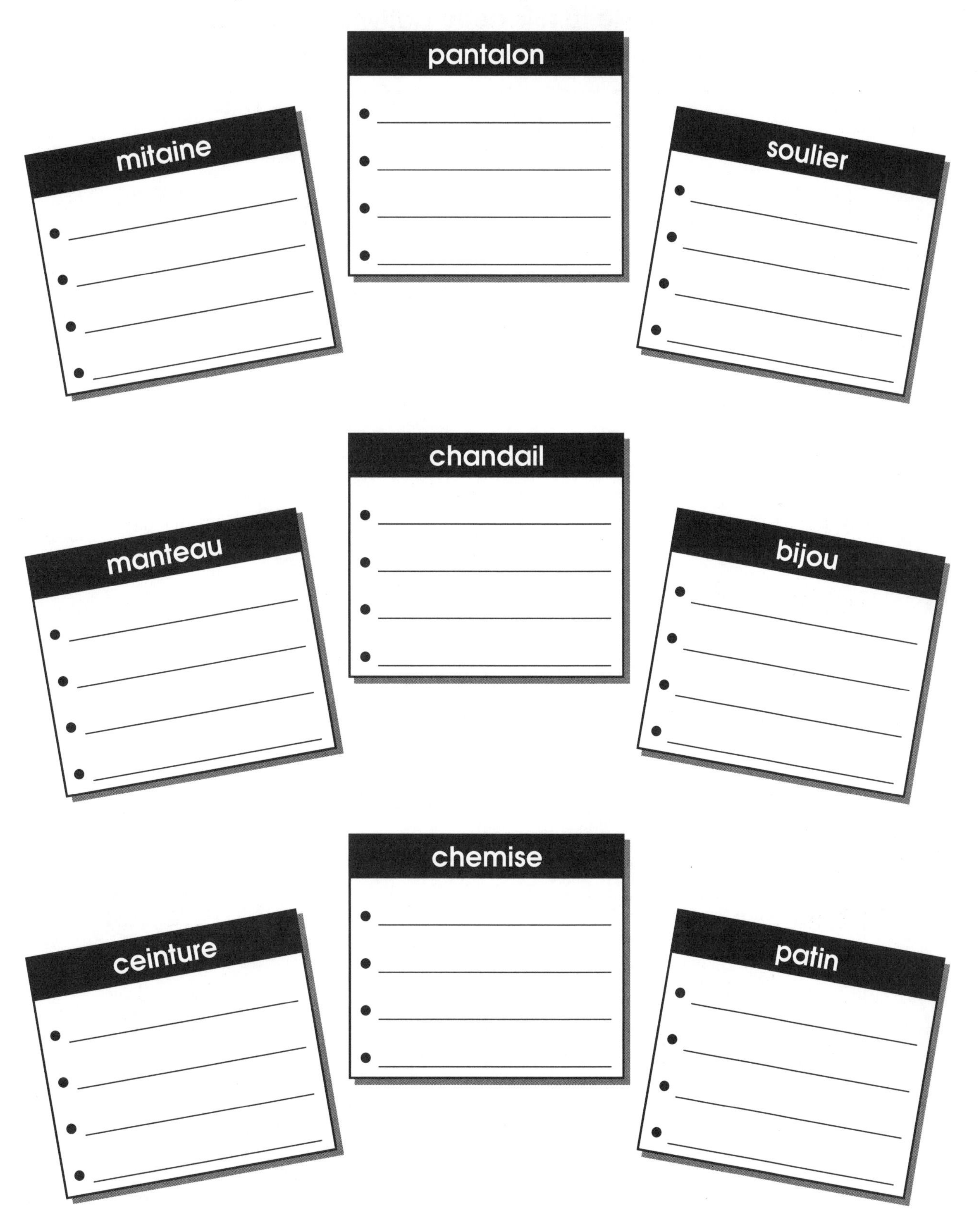

Une semaine mouvementée

Croque-Mots aimerait bien que tu lui donnes ton horaire de la semaine. Pour chaque jour, écris une activité que tu fais. Inscris l'heure à laquelle tu fais cette activité dans le petit carré et complète l'horloge avec des aiguilles.

Savon et bulles, c'est essentiel...

Croque-Mots prend son bain, soir et matin. Il adore les bulles et le savon, des orteils au menton. Complète les bulles en mettant les verbes au participe présent.

Une drôle de visite chez le dentiste

Lis ce texte attentivement et réponds aux questions de la page suivante.

La semaine passée, je me suis levée avec un mal de dents carabiné. J'avais tellement mal que j'avais de la difficulté à m'exprimer. Ma mère a donc décidé de me donner congé d'une journée de 4e année. J'étais un peu triste de me rendre chez le dentiste. Je n'avais pas le choix… c'était ça ou cette douleur qui n'était pas la joie.

Après deux heures passées dans la salle d'attente, je devenais de plus en plus impatiente. Tout à coup, un cri strident s'est fait entendre. Oh ! Oh ! Était-ce aussi douloureux qu'on le laissait entendre ?

Une femme, pâlotte et en sueur, est sortie d'un bureau. Elle tenait son énorme bedaine et ne disait plus un mot. J'ai compris que ce n'était plus un problème de dents. Mais plutôt que cette femme… oui, bon sang !… allait avoir un enfant.

Ça a enfin été à mon tour et je ne sais pourquoi... Me faire arracher une dent m'a paru si simple… «un vrai jeu d'enfant »!!!

Une drôle de visite chez le dentiste *(suite)*

1. Que remarques-tu dans le texte ?

2. Que veulent dire les trois mots suivants ? (Tu peux les chercher dans le dictionnaire.)

   a) carabiné :

   b) strident :

   c) pâlotte :

3. Quel événement se produit chez le dentiste ?

4. Trouve, dans le texte, cinq adjectifs qualificatifs.

5. Quelle expression dans le texte signifie « c'est très facile » ?

6. Comment cela se passe-t-il lorsque tu vas chez le dentiste ?

1-2, 1-2... moi je suis en forme !

À l'aide des indices, trouve les verbes correspondant à chacune des phrases ci-dessous.

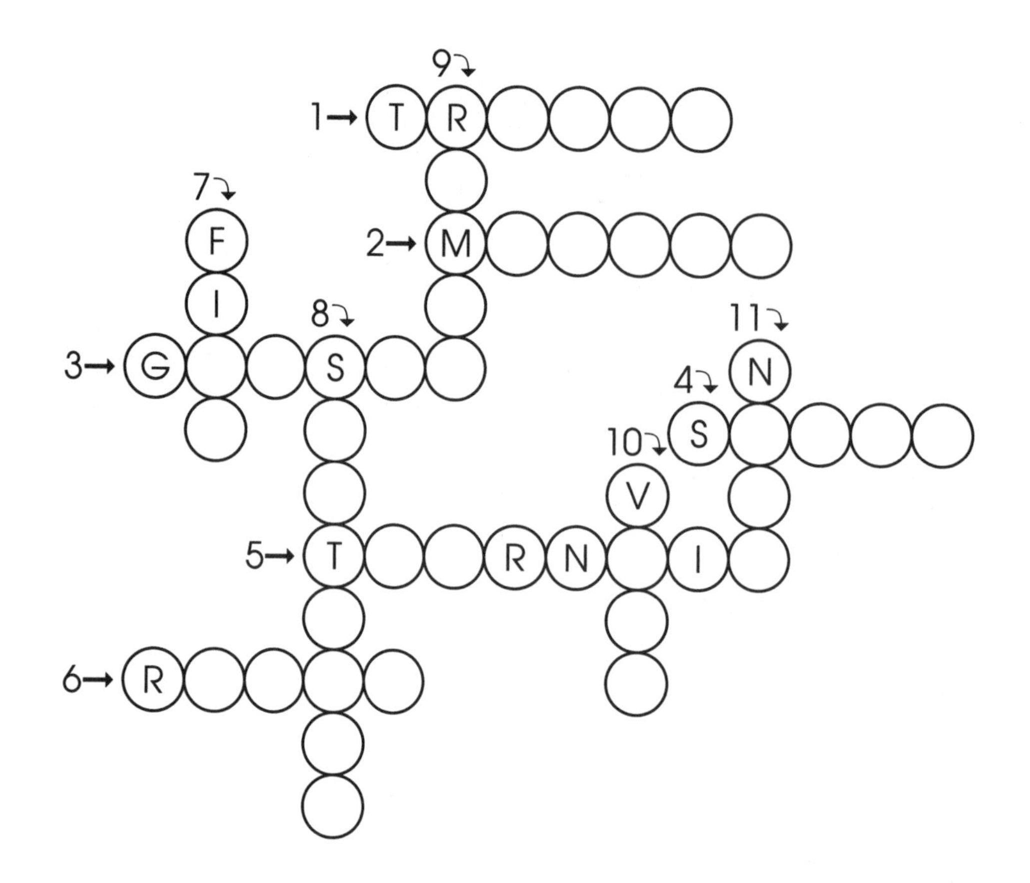

1. L'âne ____________________ sur la route.
2. Le facteur ____________________ sur le trottoir.
3. Le skieur ____________________ sur les pentes enneigées.
4. La grenouille ____________________ dans l'herbe.
5. La feuille morte ____________________ dans le vent.
6. Le train ____________________ sur les rails.
7. La fusée ____________________ dans l'espace.
8. Le moineau ____________________ dans la cour.
9. La chenille ____________________ sur une feuille de chou.
10. L'aigle royal ____________________ en déployant ses larges ailes.
11. Le brochet ____________________ dans la rivière.

Un athlète hors pair

Classe les mots de la grille dans les trois catégories ci-dessous.

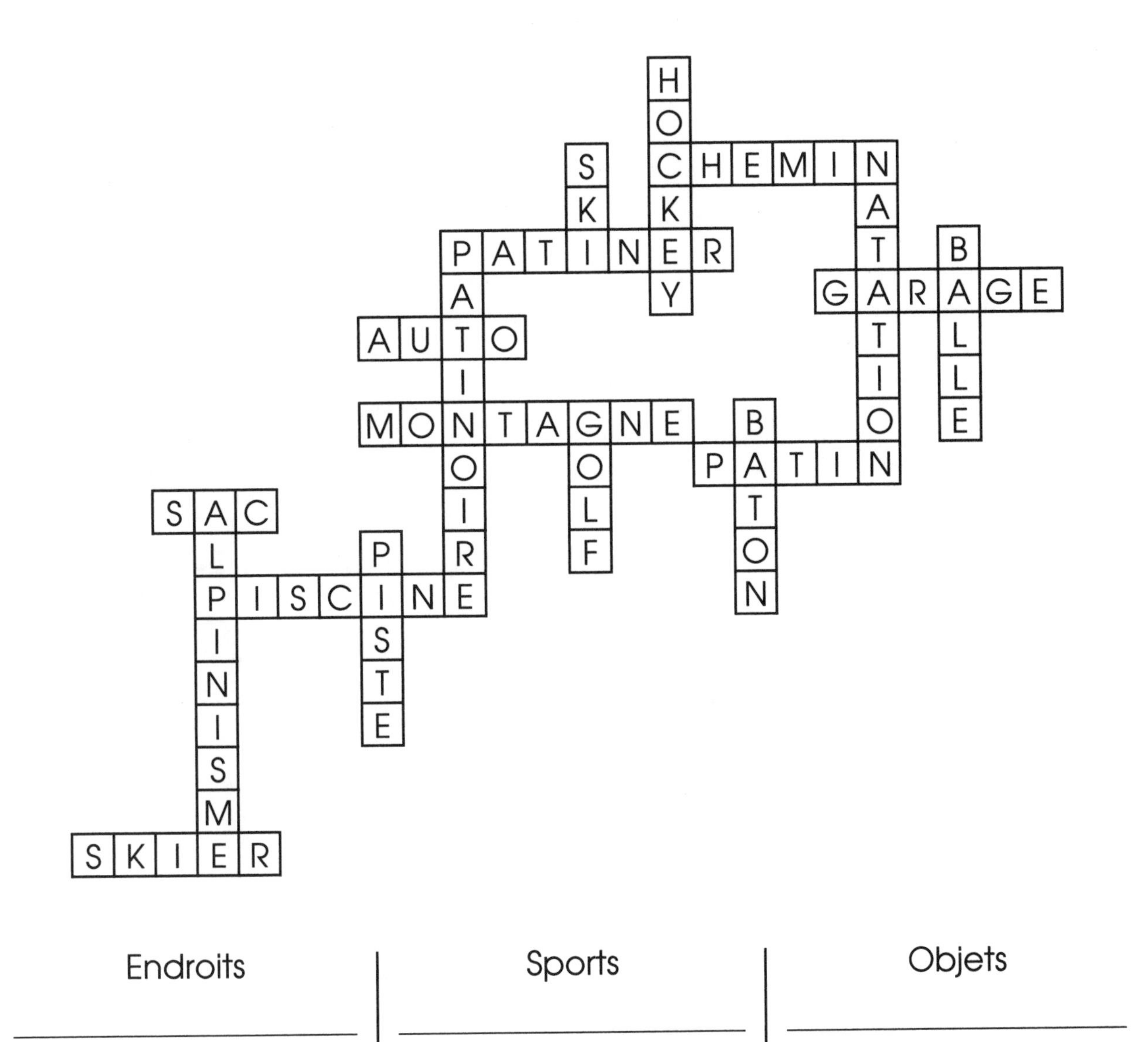

Endroits	Sports	Objets

Des gens d'action

Que nous donnent-ils ?

Ex. :

1. Le laitier : du lait
2. Le facteur : ______________________
3. Le pêcheur : ______________________
4. Le boulanger : ______________________
5. Le boucher : ______________________
6. Le photographe : ______________________
7. Le cuisinier : ______________________
8. L'épicier : ______________________
9. Le banquier : ______________________
10. L'agriculteur : ______________________
11. Le pharmacien : ______________________
12. Le vendeur : ______________________
13. L'horticulteur : ______________________
14. L'apiculteur : ______________________
15. L'aviculteur : ______________________
16. L'enseignante : ______________________
17. Le musicien : ______________________
18. Le confiseur : ______________________
19. Le livreur : ______________________
20. L'architecte : ______________________

Ouf ! Je suis essoufflé !

Croque-Mots adore les sports. Peux-tu l'aider à trouver à quel sport appartiennent les objets suivants ?

Une douce musique de relaxation

Utilise les verbes à l'impératif présent et donne les consignes d'une bonne relaxation au pauvre Croque-Mots, exténué.

(Utiliser)
1. ________________ une cassette de musique douce et mélodieuse.

(Allonger)
2. ________________-toi sur le dos.

(Fermer) (détendre)
3. ________________ les yeux et ________________-toi.

(Laisser)
4. ________________ la musique t'envahir.

(Relaxer)
5. ________________ et ne pense plus à rien.

(Étirer)
6. ________________ tes bras et tes jambes.

(Sentir)
7. ________________ la chaleur monter dans ton corps.

(Ouvrir) (Asseoir)
8. ________________ les yeux et ________________-toi.

(Marcher)
9. ________________ lentement pour te détendre un peu.

(Prendre)
10. ________________ un bon bain et… bonnes bulles !

Pour commencer la journée du bon pied

Pour bien commencer la journée, Croque-Mots a inventé un jeu avec le dictionnaire. Il s'agit de trouver des mots avec les lettres qui te sont demandées.

Veux-tu jouer avec lui ?

Trouve cinq mots qui contiennent les lettres suivantes.

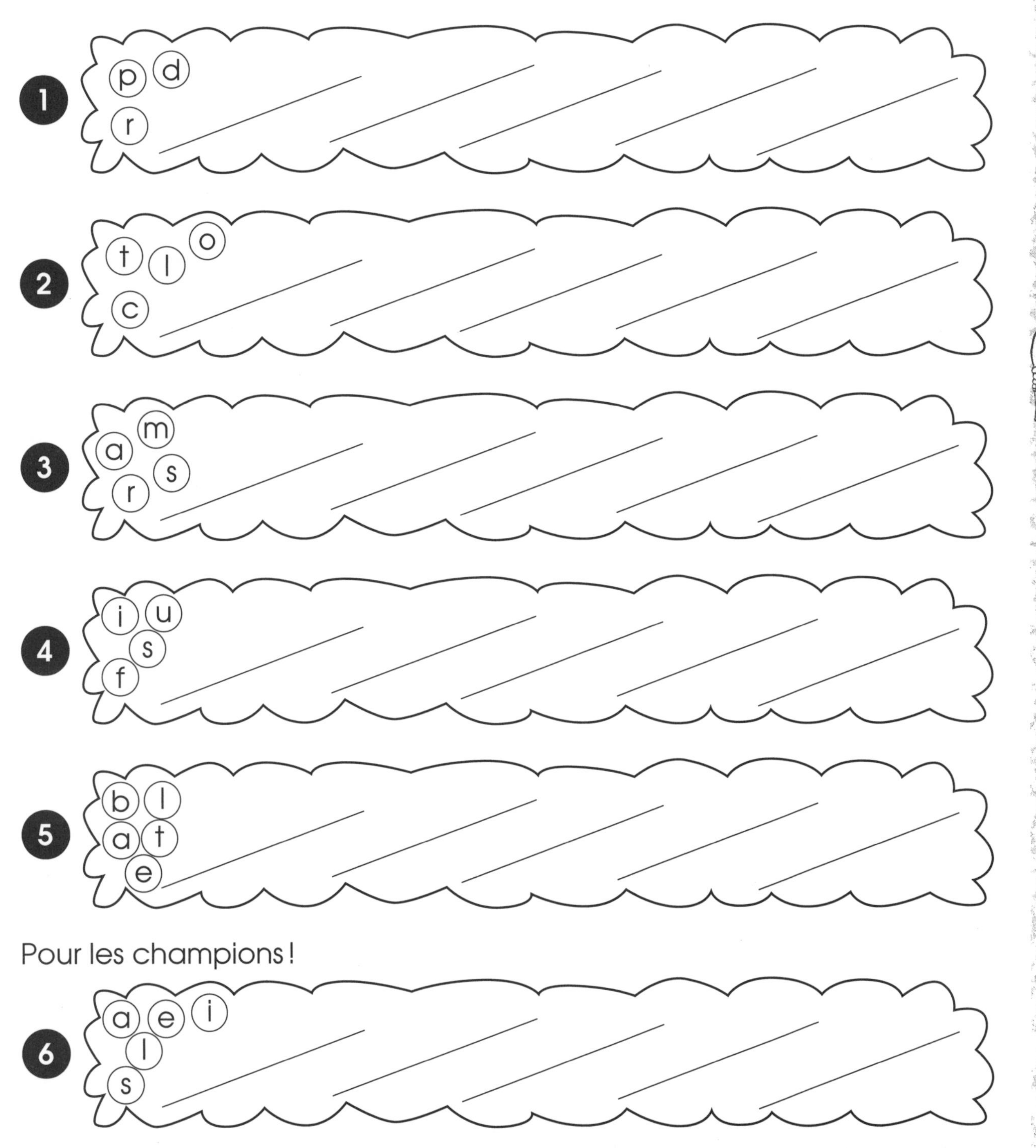

Je cours après les mots

Trouve le nom de la personne qui :

Ex. :

1. surveille : surveillant
2. marche : ____________________
3. nettoie : ____________________
4. joue : ____________________
5. crie : ____________________
6. patine : ____________________
7. flâne : ____________________
8. sert : ____________________
9. lave : ____________________
10. plonge : ____________________
11. travaille : ____________________
12. emballe : ____________________
13. peint : ____________________
14. livre : ____________________
15. dirige : ____________________
16. conte : ____________________
17. poste : ____________________
18. écrit : ____________________
19. vole : ____________________
20. aime : ____________________

Un saut dans le dictionnaire

C'est en famille que Croque-Mots aime faire des activités passionnantes. Aujourd'hui, il essaie de trouver, avec son dictionnaire, des mots de même famille. Aide-le dans sa recherche.

1. Dans la même famille que : danse

____________ ____________ ____________ ____________

2. Dans la même famille que : chemise

____________ ____________ ____________ ____________

3. Dans la même famille que : famille

____________ ____________ ____________ ____________

4. Dans la même famille que : dur

____________ ____________ ____________ ____________

5. Dans la même famille que : fleur

____________ ____________ ____________ ____________

6. Dans la même famille que : rayon

____________ ____________ ____________ ____________

7. Dans la même famille que : vélo

____________ ____________ ____________ ____________

8. Dans la même famille que : pigeon

____________ ____________ ____________ ____________

Un repos à la maison

Observe attentivement le dessin suivant.
Reproduis-le ensuite dans le rectangle à carrés ci-dessous.

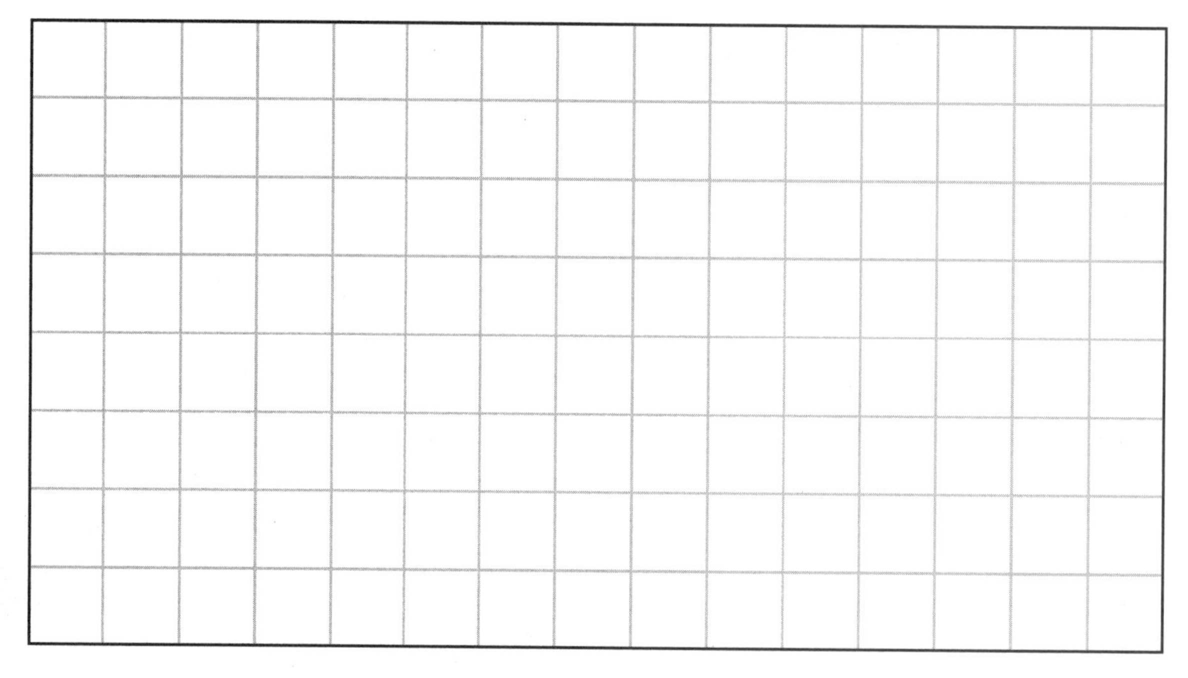

Moi j'embarque, et toi ?

Des mots pour mon vélo

Croque-Mots fait une recherche sur le vélo.
Aide-le en inscrivant dans les cases ci-dessous le numéro qui correspond à chacune des pièces de la bicyclette.

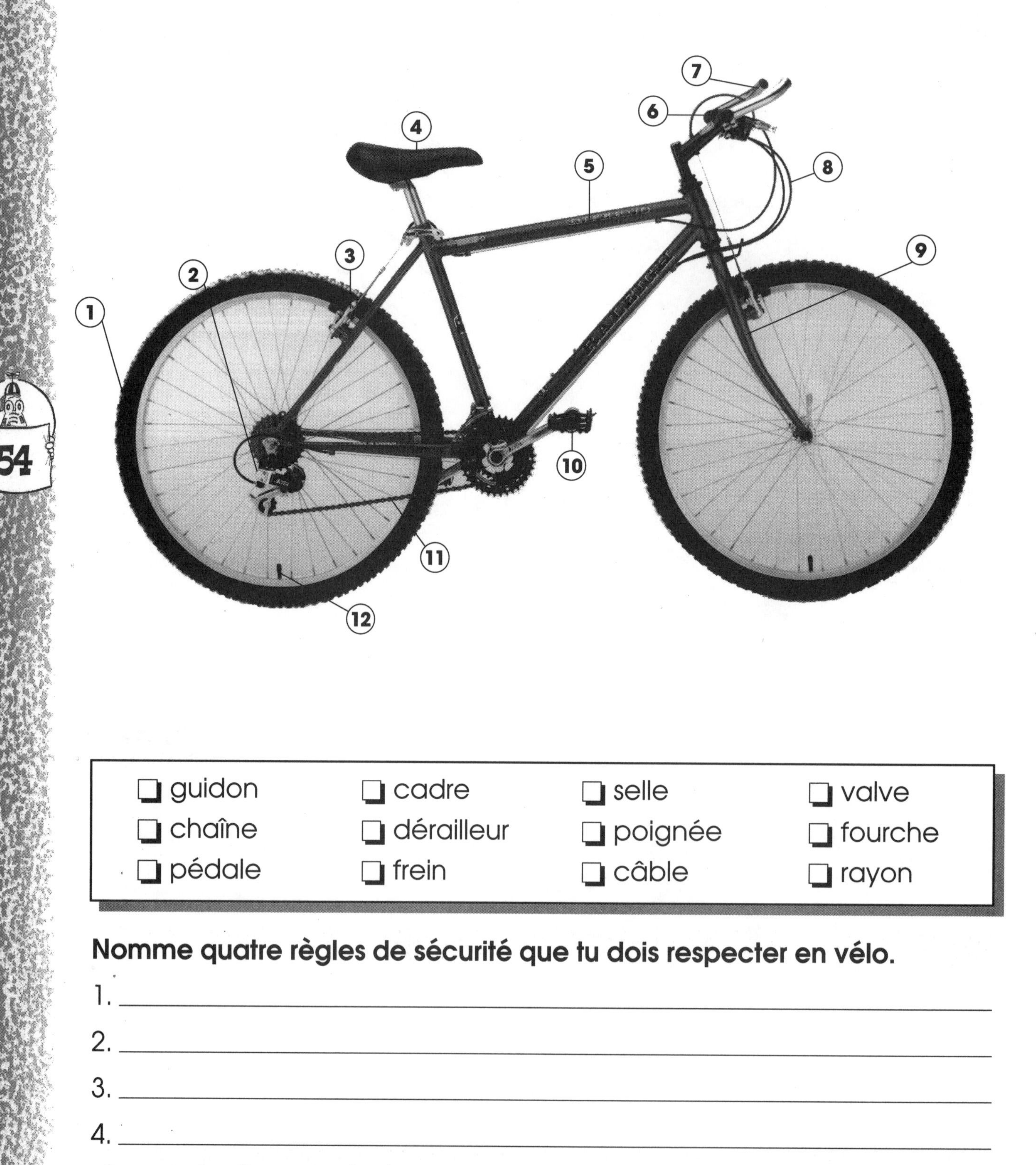

❏ guidon	❏ cadre	❏ selle	❏ valve
❏ chaîne	❏ dérailleur	❏ poignée	❏ fourche
❏ pédale	❏ frein	❏ câble	❏ rayon

Nomme quatre règles de sécurité que tu dois respecter en vélo.

1. ______________________________

2. ______________________________

3. ______________________________

4. ______________________________

Une automobile qui file

Place les mots ci-dessous dans la colonne du féminin ou du masculin.
Attention ! Ce sont des mots difficiles.

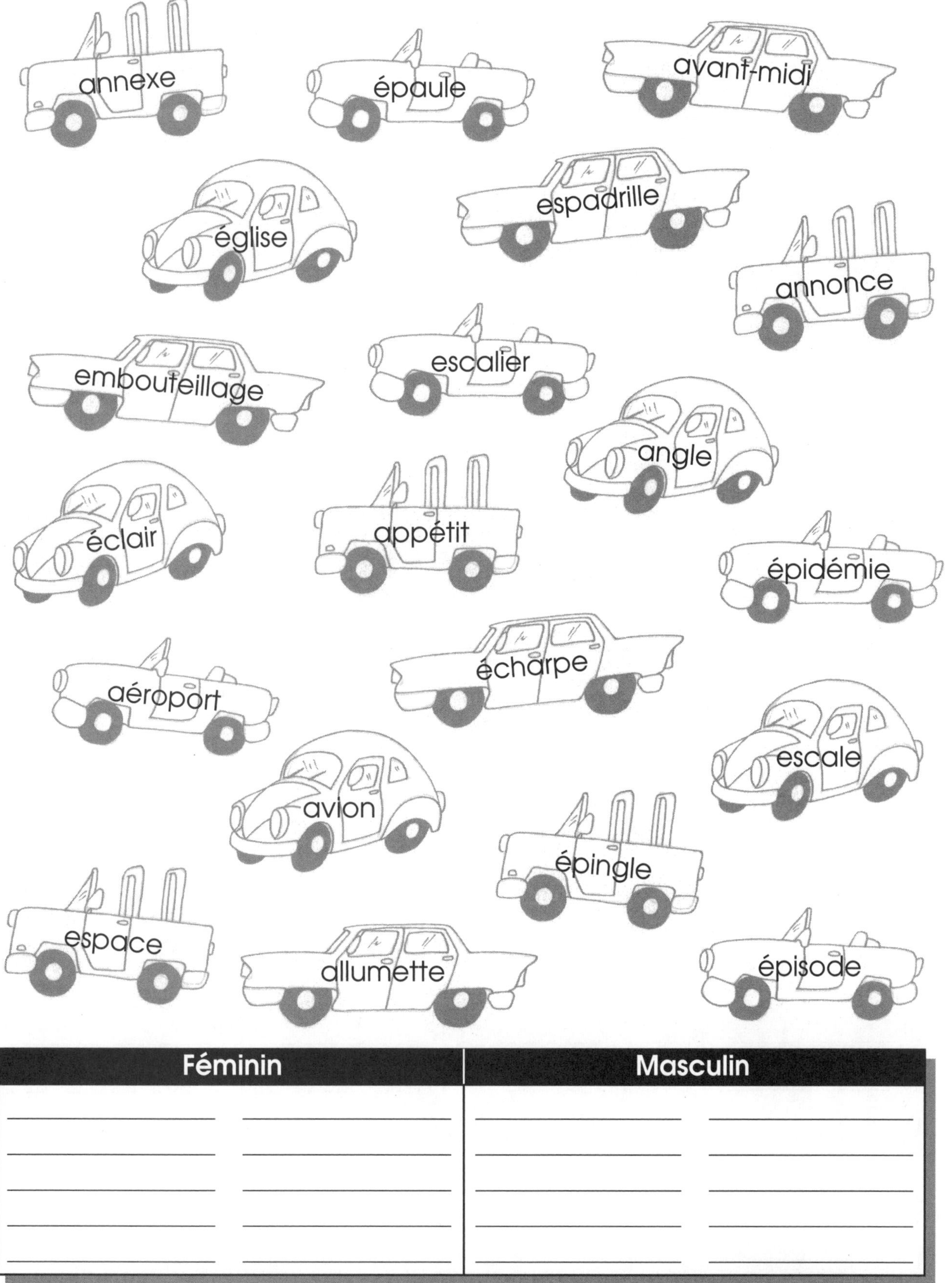

Féminin		Masculin	

Un camion bien garni

Ce camionneur doit livrer ces mots dans un entrepôt de mots au pluriel. Complète son travail en transformant les mots au pluriel.

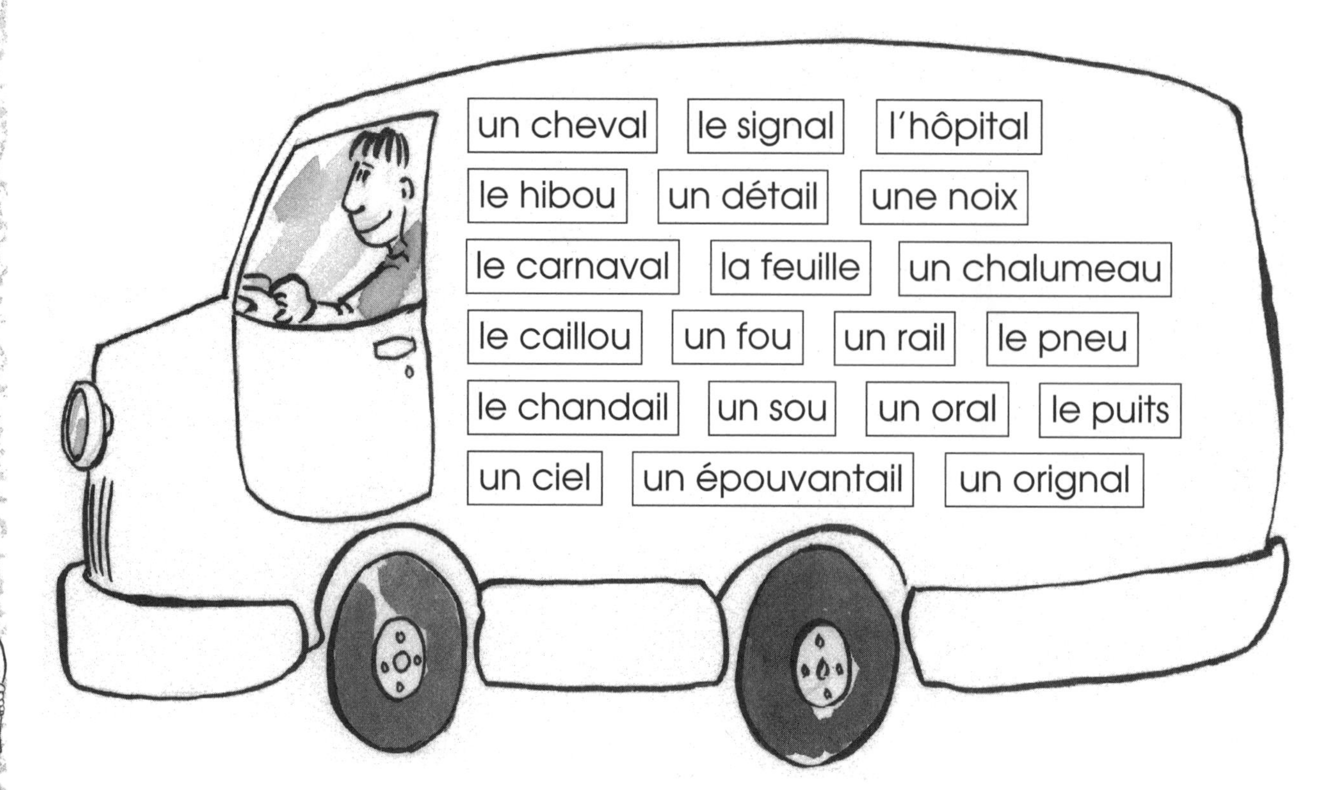

N'oublie pas d'employer les bons déterminants.

1. ______________________
2. ______________________
3. ______________________
4. ______________________
5. ______________________
6. ______________________
7. ______________________
8. ______________________
9. ______________________
10. ______________________
11. ______________________
12. ______________________
13. ______________________
14. ______________________
15. ______________________
16. ______________________
17. ______________________
18. ______________________
19. ______________________
20. ______________________

Un souterrain animé

Pour la première fois de sa vie, Croque-Mots a pris le métro pour se rendre au Biodôme de Montréal. Lis chaque phrase, encercle les pronoms personnels et classe-les dans le tableau ci-dessous.

Ex. : (**Je**) me suis promené dans les corridors souterrains.

1. Vous sembliez terrorisés à l'idée de tomber sur les rails.
2. Tu découvrais que le métro avançait rapidement.
3. Lentement, il s'immobilisait pour prendre des passagers.
4. Elles étaient debout et se tenaient solidement aux poteaux.
5. Moi, j'observais les lumières qui défilaient devant mes yeux.
6. Il nous arrivait fréquemment d'attendre ce véhicule roulant.
7. Elle était très souriante, cette conductrice.

Pronom personnel	Personne	Nombre
Ex.: je	1re	singulier

Une journée en motoneige

Lis ce texte et réponds aux questions de la page suivante.

Encore une nuit à patienter en attendant qu'un de mes rêves se réalise... celui de faire de la motoneige avec mon père.

Pour vivre cette expérience, mon père a loué un magnifique chalet à Saint-Donat, près du lac Archambault. Après m'être amusé avec mon frère, maman nous invite à venir déguster un succulent repas... mon repas préféré. Vers 20 heures, papa vient nous border en nous souhaitant de faire de beaux rêves. Comment réussir à fermer l'oeil en sachant que le lendemain, nous aurons un plaisir fou ?

Le réveille-matin sonne... Vif comme l'éclair, j'enfile mes vêtements, je déjeune en vitesse et je sors à l'extérieur, près du camion de papa. Et voilà, mon rêve commence.

Lorsque nous arrivons sur les lieux, un monsieur nous indique les pistes à suivre pour ne pas nous perdre. Je m'assois sur le siège en arrière de mon père, tandis que mon frère s'assoit derrière ma mère.

Nous suivons une piste qui nous mène sur la montagne pour ensuite nous diriger vers un relais (un petit chalet pour nous réchauffer). À cet endroit, tout le monde se parle et se donne des conseils pour le retour.

Parlons-en du retour! Mon père m'a fait une surprise en me laissant conduire, avec son aide, la rutilante motoneige mauve. J'étais aux petits oiseaux!

Je me demande pourquoi les journées défilent aussi rapidement en motoneige. J'ai une solution ! Mon professeur devrait nous en procurer une à tous...

Une journée en motoneige
(*suite*)

1. Dans ce texte, est-ce un garçon ou une fille qui raconte l'histoire ?

____

2. Dans quelle région se déroule l'histoire ?

____

3. Qu'est-ce qu'un relais ?

____

____

4. Trouve cinq verbes conjugués dans le texte et écris-les à l'infinitif.

____

____

____

____

____

5. Quelle est la couleur de la motoneige du père ?

____

6. Trouve cinq adjectifs qualificatifs dans le texte et écris-les.

____

____

____

____

____

7. As-tu déjà fait de la motoneige ? ______________

   Si oui, comment s'est passée ton expérience ?

____

____

Fais comme l'oiseau !

Croque-Mots rêve de prendre l'avion et de voler comme un oiseau. Lis les phrases suivantes et transforme-les selon ce qui est demandé.

Ex. : J'aimerais regarder le ciel à travers un hublot.

Phrase exclamative (!) : Ah, que j'aimerais regarder le ciel à travers un hublot !

Phrase interrogative (?) : Est-ce que j'aimerais regarder le ciel à travers un hublot ?

Phrase impérative (ordre) : Regarde le ciel à travers un hublot.

1. L'avion vole très haut dans le ciel.

   Phrase interrogative : ______________________________

   ____

2. Nous adorons voyager en avion.

   Phrase exclamative : ______________________________

   ____

3. Tu mâches de la gomme pour ne pas avoir mal aux oreilles.

   Phrase impérative : ______________________________

   ____

4. Il écoute l'hôtesse de l'air qui donne des conseils de sécurité.

   Phrase interrogative : ______________________________

   ____

5. C'est merveilleux de voler en avion.

   Phrase exclamative : ______________________________

   ____

6. La nourriture est excellente à bord de cet avion.

   Phrase interrogative : ______________________________

   ____

Fière d'être montgolfière

Trouve, dans le texte suivant, tous les noms communs.
Écris-les dans le tableau du bas et précise leur genre et leur nombre.

Le soleil se couche une fois de plus sur cette petite ville, calme en temps ordinaire, mais colorée et frénétique au mois d'août de chaque année : Saint-Jean-sur-Richelieu. Un festival peu banal que celui des montgolfières ! Des centaines de ballons multicolores et de toutes les formes flottent dans le ciel avec splendeur. Des milliers de gens viennent des quatre coins du pays pour vivre cette expérience visuelle inoubliable. Certains vont même jusqu'à monter dans une montgolfière pour faire une balade. Les plus intéressés, bien sûr, sont les bouts de choux, qui n'ont d'yeux que pour toutes ces belles couleurs. Un festival qui en vaut le détour !

Noms communs	Genre	Nombre

Je plane en deltaplane

Croque-Mots adore la conjugaison. Il a fabriqué une grille de verbes cachés pour toi. Amuse-toi bien !

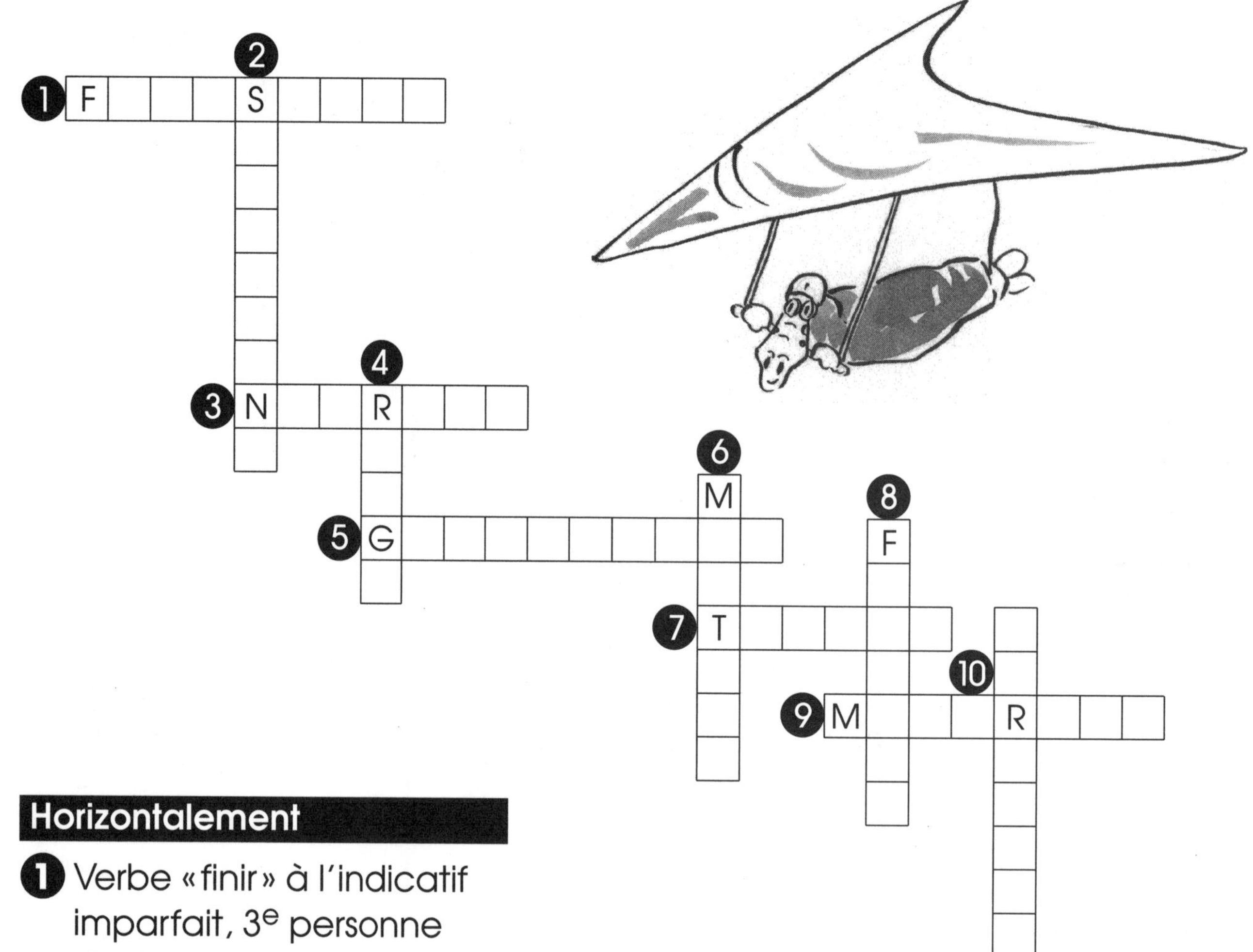

Horizontalement

1 Verbe « finir » à l'indicatif imparfait, 3e personne du singulier.

3 Verbe « nourrir » à l'indicatif présent, 2e personne du singulier.

5 Verbe « grandir » au conditionnel présent, 2e personne du pluriel.

7 Verbe « tenir » à l'indicatif imparfait, 1re personne du singulier.

9 Verbe « mordre » au conditionnel présent, 2e personne du pluriel.

Verticalement

2 Verbe « servir » à l'indicatif futur simple, 3e personne du pluriel.

4 Verbe « ranger » à l'impératif présent, 2e personne du singulier.

6 Verbe « mettre » à l'indicatif présent, 3e personne du pluriel.

8 Verbe « faire » à l'impératif présent, 1re personne du pluriel.

10 Verbe « pardonner » à l'indicatif présent, 1re personne du singulier.

En route vers la Voie lactée

Remplis la grille. Fais un ✗ sur le dessin qui n'a pas sa place dans la grille.

Je m'accorde avec le Concorde

Croque-Mots a un devoir à faire sur les accords de mots au pluriel. Aide-le !

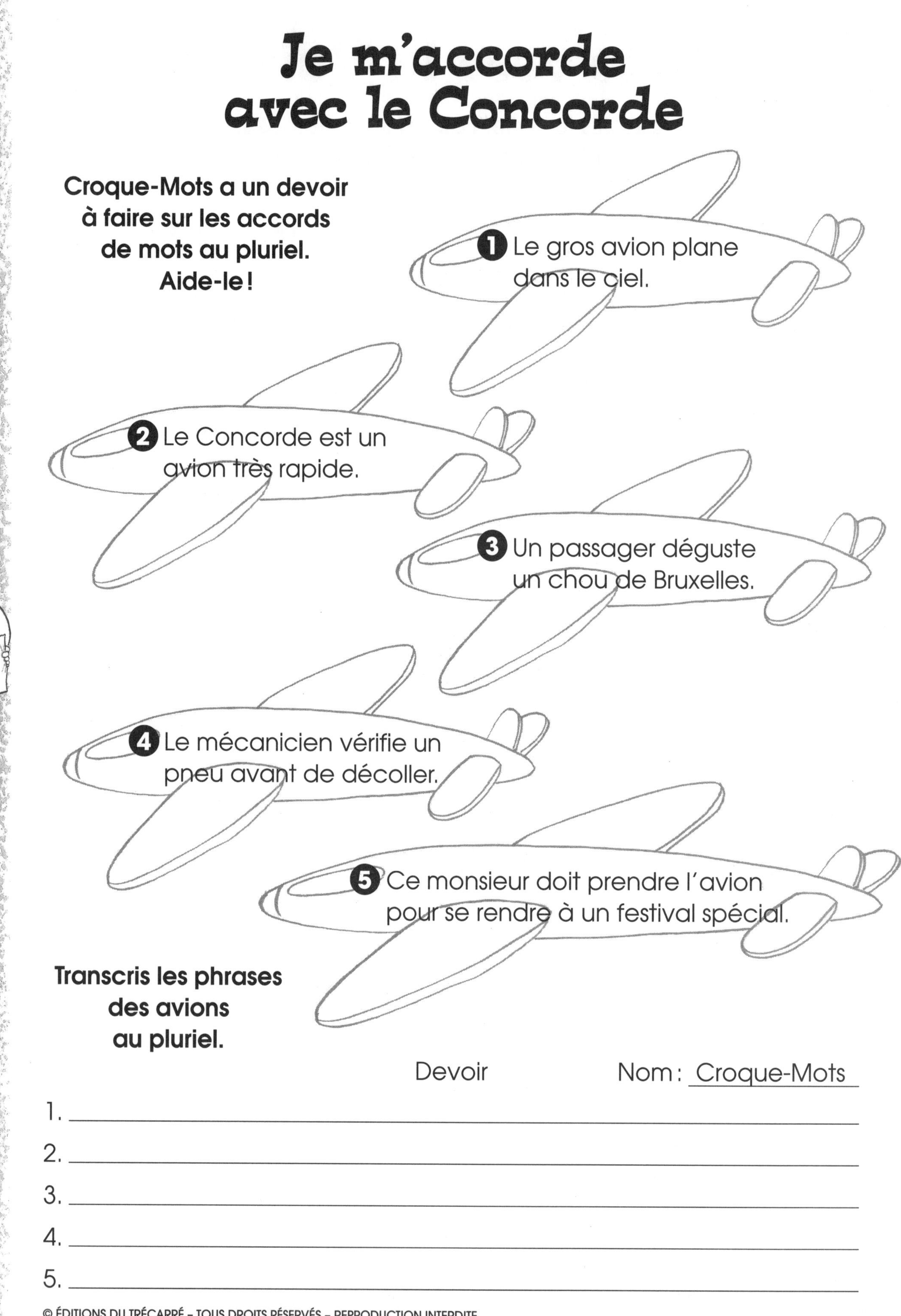

Transcris les phrases des avions au pluriel.

Devoir Nom : Croque-Mots

1. ______________________________
2. ______________________________
3. ______________________________
4. ______________________________
5. ______________________________

Je vole de mes propres ailes

Croque-Mots est allé au cinéma avec un de ses amis. C'était la première fois qu'il y allait sans un adulte. Il y a vu un très bon film. Raconte-nous un des meilleurs films que tu as vus.

Titre : ________________________________

L'hélicoptère fend l'air

Écris la nature des mots dans les tableaux ci-dessous. Observe bien l'exemple.

A Ex. : L'(1) hélicoptère(2) est(3) un(4) moyen(5) de transport(6).

1	déterminant (masculin singulier)
2	nom commun (masc. sing.)
3	verbe « être » (ind. prés., 3e pers. sing.)
4	déterminant (masc. sing.)
5	nom commun (masc. sing.)
6	nom commun (masc. sing.)

B L'(1) hélice(2) de l'(3) hélicoptère(4) fend(5) l'(6) air(7).

1	
2	
3	
4	
5	
6	
7	

C Les(1) petits(2) enfants(3) raffolent(4) de la(5) sensation(6) des(7) hauteurs(8).

1	
2	
3	
4	
5	
6	
7	
8	

Vois-tu ce que je vois ?

Trouve dans l'image :

- ❏ Croque-Mots avec sa casquette rayée
- ❏ une soucoupe volante
- ❏ une chauve-souris
- ❏ une moustache
- ❏ une chandelle
- ❏ un canard
- ❏ une ampoule électrique
- ❏ une bouteille
- ❏ un bébé
- ❏ un écureuil

Vogue, vogue... joli bateau !

Trouve cinq noms qui peuvent être accompagnés par les adjectifs qualificatifs suivants.

Une balade en motomarine

1. **Écris les verbes suivants au mode impératif, au temps présent et à la personne suggérée.**
   Complète ensuite l'exercice par une phrase de ton choix qui contient le verbe en question.

Personne	Verbe	Phrase impérative
2e pers. plur.	attacher	Attachez le gilet de sauvetage.
1re pers. plur.	observer	
2e pers. sing.	écouter	
2e pers. plur.	fêter	
1re pers. plur.	balader	
2e pers. sing.	mouiller	
2e pers. plur.	respecter	
1re pers. plur.	donner	
2e pers. sing.	patienter	
2e pers. plur.	nettoyer	
1re pers. plur.	manger	
2e pers. sing.	arroser	
2e pers. plur.	tourner	

2. **Écris deux règles de sécurité à observer en motomarine.**

____

____

Le vent dans les voiles

Fais une petite recherche sur le voilier que tu préfères.
Par la suite, dessine-le au bas de cette page et trouve-lui un nom...
Après tout, c'est ton voilier!

Recherche:

Nom:

Sous-marin en détresse

Un sous-marin est pris sous les eaux de la mer.
À l'aide du code ci-dessous, trouve le message qu'il nous envoie.
Le premier chiffre est horizontal et l'autre vertical.

9	g	s	c	f	m	y	k	r	e
8	j	d	o	i	a	q	a	u	p
7	b	i	b	f	y	v	h	x	z
6	è	n	s	p	l	c	x	o	k
5	e	l	é	f	d	m	t	a	ê
4	p	r	a	t	z	d	n	c	j
3	i	d	j	b	q	h	z	q	y
2	m	v	g	c	k	s	x	u	r
1	a	n	o	l	u	g	t	h	v
	1	**2**	**3**	**4**	**5**	**6**	**7**	**8**	**9**

(2,6) (3,8) (8,8) (2,9) (8,5) (2,2) (3,8) (7,4) (6,2)

(4,5) (2,4) (7,8) (4,6) (9,8) (3,5) (8,8) (2,1) (1,5)

(4,8) (6,5) (1,2) (1,5) (2,1) (3,6) (9,9) (9,2) (8,6) (4,2) (6,3) (1,5)

(2,9) (3,8) (8,8) (6,2) - (1,2) (8,5) (9,2) (1,3) (2,1) (1,5). (2,6) (8,6) (8,8) (2,9)

(6,4) (1,5) (1,2) (7,8) (7,4) (5,5) (3,1) (2,1) (6,2) (2,8) (1,5)

(4,1)'(1,1) (4,8) (2,8) (1,5).

Tous les bateaux font des vagues

Observe les phrases suivantes et ajoute les majuscules, les virgules et les points qui leur manquent pour avoir du sens.

1. près de chez moi on peut apercevoir les gigantesques bateaux qui naviguent sur le fleuve St-Laurent.

   ____

   ____

2. ces bateaux voyagent vers les Grands Lacs ils se dirigent aussi vers l'océan Atlantique.

   ____

   ____

3. chaque jour on les voit majestueux et solides fendre le fleuve avec des tonnes de marchandises

   ____

   ____

4. sur ces bateaux plusieurs personnes dirigent et entretiennent les ponts c'est le capitaine du bateau qui donne les ordres.

   ____

   ____

5. on a l'impression de vivre dans un village tellement il y a de commodités : cinéma buanderie cafétéria chambre et salon pour permettre aux matelots de bien se reposer

   ____

   ____

6. c'est une vie de château sur un bateau

   ____

   ____

Un radeau qui prend l'eau

Compose une histoire qui rime avec la fin des phrases suivantes.

J'ai un petit radeau qui prend l'eau,

____

Il est joli et plutôt solide,

____

Ce radeau a été construit par mon père,

____

Un jour, ce radeau a voulu traverser un lac,

____

Le vent s'est mis à souffler,

____

Les planches se sont cassées,

____

Le radeau a coulé,

____

____

Une course de canots

Voici une série de mots. Place plusieurs de ces mots dans les phrases suivantes.

crie	gagnera		frère	parents	nerveux
donné	rivière		liste	canot	frérot
rame	attendons		courses	participer	départ
jeux	mois	canotiers	milliers	pistolet	podium

C'est aujourd'hui qu'aura lieu la course de canots que nous ____________ depuis plusieurs ____________ . Des ____________ de personnes sont venues assister au ____________ de la course sur la ____________ Richelieu. Quarante ____________ font partie de cette course. Mon ____________ est en tête de ____________ . Il a gagné plusieurs ____________ cet été. Il est très ____________ car s'il gagne celle-ci, il ira aux ____________ olympiques. Le départ est ____________ .

Bang ! Le bruit du ____________ se fait entendre. Tout le monde ____________ pour encourager les participants. Je suis certain que mon frère ____________ . Mes ____________ me disent toujours que l'essentiel, c'est de ____________ . Mais aujourd'hui, il doit absolument monter sur le ____________ .

Bonne chance ____________ !

Le travail ne m'effraie pas !

Au boulot, les cocos !

Croque-Mots corde du bois. Sur chaque bûche, une partie de phrase est inscrite. En associant les bûches, tu découvriras des phrases complètes. Tu peux utiliser plusieurs fois la même bûche. N'oublie pas d'ajouter la majuscule et le point.

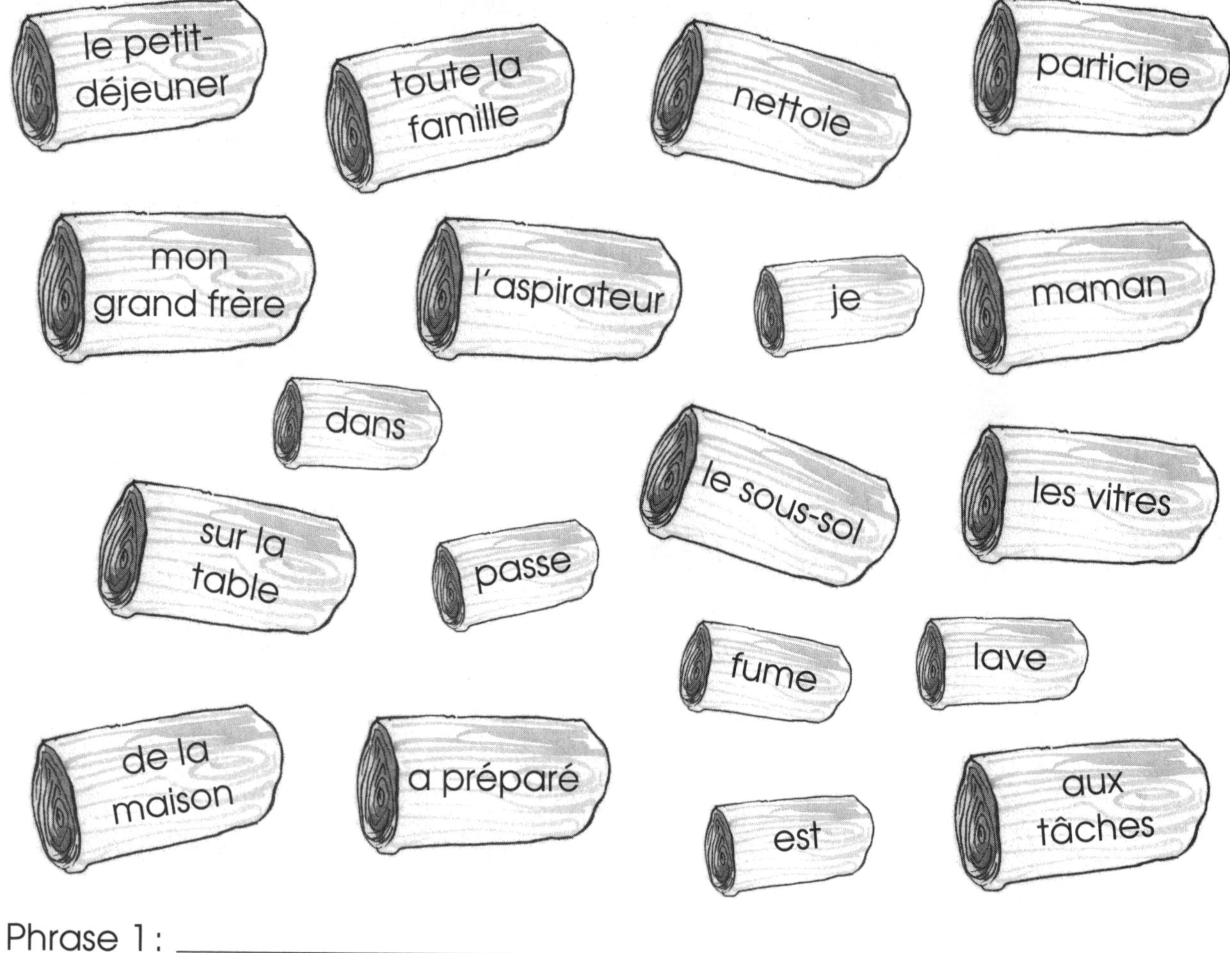

Phrase 1 : ______________________________

____

Phrase 2 : ______________________________

____

Phrase 3 : ______________________________

____

Phrase 4 : ______________________________

____

Phrase 5 : ______________________________

____

Des travaux qui me font suer !

À l'aide du dictionnaire et de tes amis, trouve 25 métiers différents que tu pourrais faire un jour.

Illustre un de ces métiers au bas de cette feuille.

Le métier :

Quel métier aimerais-tu faire un jour ? ____________________

Je travaille avec ma tête

Pour jouer à ce jeu, tu as besoin d'un code personnel. Pour trouver ce code, tu dois additionner : a) le nombre de lettres de ton prénom + b) le nombre de lettres de ton mois de naissance + c) le dernier chiffre de ton année de naissance.

Le total de ces trois nombres te donne un indice. Cet indice te permet de trouver, dans le tableau ci-dessous, ton code. Une fois ton code trouvé, cherche les lettres sous ton code. Avec ces lettres, essaie de trouver 10 mots de ton choix. Tu peux utiliser plusieurs fois la même lettre.

8	6	4	7	9	3	5	2	8	6	4	7	9	3	5	2	8	6	4	7
E	A	V	A	J	E	N	C	Y	E	E	R	A	D	U	A	A	R	N	G
9	3	5	2	8	6	4	7	9	3	5	2	8	6	4	7	9	3	5	2
T	U	H	P	L	P	V	D	E	O	C	E	Z	P	I	N	D	N	E	C
8	6	4	7	9	3	5	2	8	6	4	7	9	3	5	2	8	6	4	7
D	N	P	S	i	E	C	E	S	E	Z	E	O	V	E	T	E	R	E	B
9	3	5	2	8	6	4	7	9	3	5	2	8	6	4	7	9	3	5	2
L	X	S	A	U	Z	S	i	T	U	E	L	E	E	A	O	E	A	N	Z
8	6	4	7	9	3	5	2	8	6	4	7	9	3	5	2	8	6	4	7
i	O	N	E	C	M	P	O	P	S	A	D	E	A	T	N	X	A	D	N
9	3	5	2	8	6	4	7	9	3	5	2	8	6	4	7	9	3	5	2
L	E	L	E	D	R	L	A	E	S	S	V	E	U	S	C	i	1	A	U
8	6	4	7	9	3	5	2	8	6	4	7	9	3	5	2	8	6	4	7
U	E	A	E	A	V	F	U	S	R	P	M	T	N	A	A	S	i	E	L
8	8	9	8	9	8	4	9	8	4	9	3	5	2	8	4	9	3	5	2
E	R	A	R	R	E	E	E	T	S	D	E	N	E	R	S	i	U	i	T

Indices	Codes	Indices	Codes	Indices	Codes
4 à 6	2	13 à 15	5	22 à 24	8
7 à 9	3	16 à 18	6	25 et plus	9
10 à 12	4	19 à 21	7		

Lettres trouvées : ______________________

Mots : ______________ ______________

______________ ______________

______________ ______________

______________ ______________

______________ ______________

Je cours après le vocabulaire

Parmi les séries de mots ci-dessous, encercle celui qui est bien orthographié.

Je déborde d'idées

Compose cinq phrases différentes pour chaque question, à partir des mots qui te sont donnés. Tu peux composer des phrases interrogatives ou exclamatives. Ce sont tes idées.

1. Tu as deux mots à utiliser : cheval campagne

____
____
____
____
____

2. Tu as trois mots à utiliser : ordinateur chambre chaise

____
____
____
____
____

3. Tu as trois mots à utiliser : gomme à effacer feuille devoir

____
____
____
____
____

Un carnet de travail bien rempli

Imagine que tu es le président d'une nouvelle compagnie.

Tu viens d'inventer un nouveau produit sur le marché et tu dois présenter ce produit au monde entier, car ce sera une invention révolutionnaire.

Explique ce que tu viens d'inventer.

- Nom de l'invention : ____________________
- Lieu de fabrication : ____________________
- Matériel requis pour la fabrication : ____________________
____
____
____
- Son utilité : ____________________
____
____
- Nombre de personnes qui t'aideront à fabriquer ton invention : ______
- Description de ton invention : ____________________
____
____
____
____
____
- Prix de ton invention : ____________________
- Dessin de ton invention :

Une journée très chargée

Lis cette histoire attentivement et réponds aux questions qui suivent l'histoire.

Ouf ! Si je vous dis qu'aujourd'hui est une journée extrêmement chargée, me croirez-vous ? Laissez-moi vous expliquer.

Une fois par année, mes parents décident de faire un tas de choses en même temps et nous devons y participer ! À 7 h, le réveille-matin sonne et mon père arrive avec un sifflet pour nous faire lever. On s'imagine dans un exercice de l'armée ! Tout d'abord, petit-déjeuner en vitesse, brossage de dents, et c'est parti. Mes parents me donnent une liste de besognes à accomplir. Par quoi commencer ? Ménage complet de ma chambre à coucher (amusant !), rangement du sous-sol (encore !), nettoyage des feuilles de la grosse plante verte du salon familial (je crois que je vais la couper !), vidage des cendres du foyer (si je cache le bois de chauffage, plus de feu de foyer !), brossage de ma chienne (je pourrais la remplacer par un hamster !) et, pour terminer, lavage complet des tuiles des murs de la salle de bain (je vais les frotter à en faire disparaître les fleurs appliquées dessus !).

À 17 h 30, je viens de mettre le dernier crochet à côté des tâches écrites sur ma longue liste. Je souhaite maintenant m'écraser sur le divan et ne rien faire pour le reste de la fatigante journée. J'entends la douce voix de maman qui me demande si je désire aller manger à mon restaurant préféré. On dirait qu'un élan d'énergie refait surface en moi.

Chère maman... Elle trouve toujours la bonne idée pour me récompenser. Finalement, le travail porte ses fruits !

Une journée très chargée
(*suite*)

1. a) Trouve, dans le texte, dix verbes ainsi que leur sujet.

b) Mets ces verbes à l'infinitif.

2. Que fait le papa de Croque-Mots pour le faire lever ?

3. Trouve cinq adjectifs qualificatifs dans cette histoire et écris-les.

4. Illustre les tâches que Croque-Mots doit accomplir durant sa journée.

Qui a dit que j'étais paresseux ?

1. Je ne suis pas paresseux. Au lieu d'écrire ces nombres en chiffres, je les écrirai en lettres.

48 : ______________________

19 : ______________________

25 : ______________________

52 : ______________________

73 : ______________________

100 : ______________________

86 : ______________________

31 : ______________________

29 : ______________________

66 : ______________________

95 : ______________________

89 : ______________________

34 : ______________________

106 : ______________________

41 : ______________________

37 : ______________________

120 : ______________________

22 : ______________________

107 : ______________________

77 : ______________________

2. Remplis le chèque suivant.

La Banque populaire
Boîte postale 66
Bellehumeur (Québec)
G1P 1Q9

No : 38

Le 22 août 1998

Payez à l'ordre de ______ Croque-Papi ______ $ 99, 00

______________________ XX/100 Dollars

____
Signature

Des verbes musclés

À l'aide d'une flèche, associe chaque verbe au temps, au mode et à la personne qui lui correspondent.

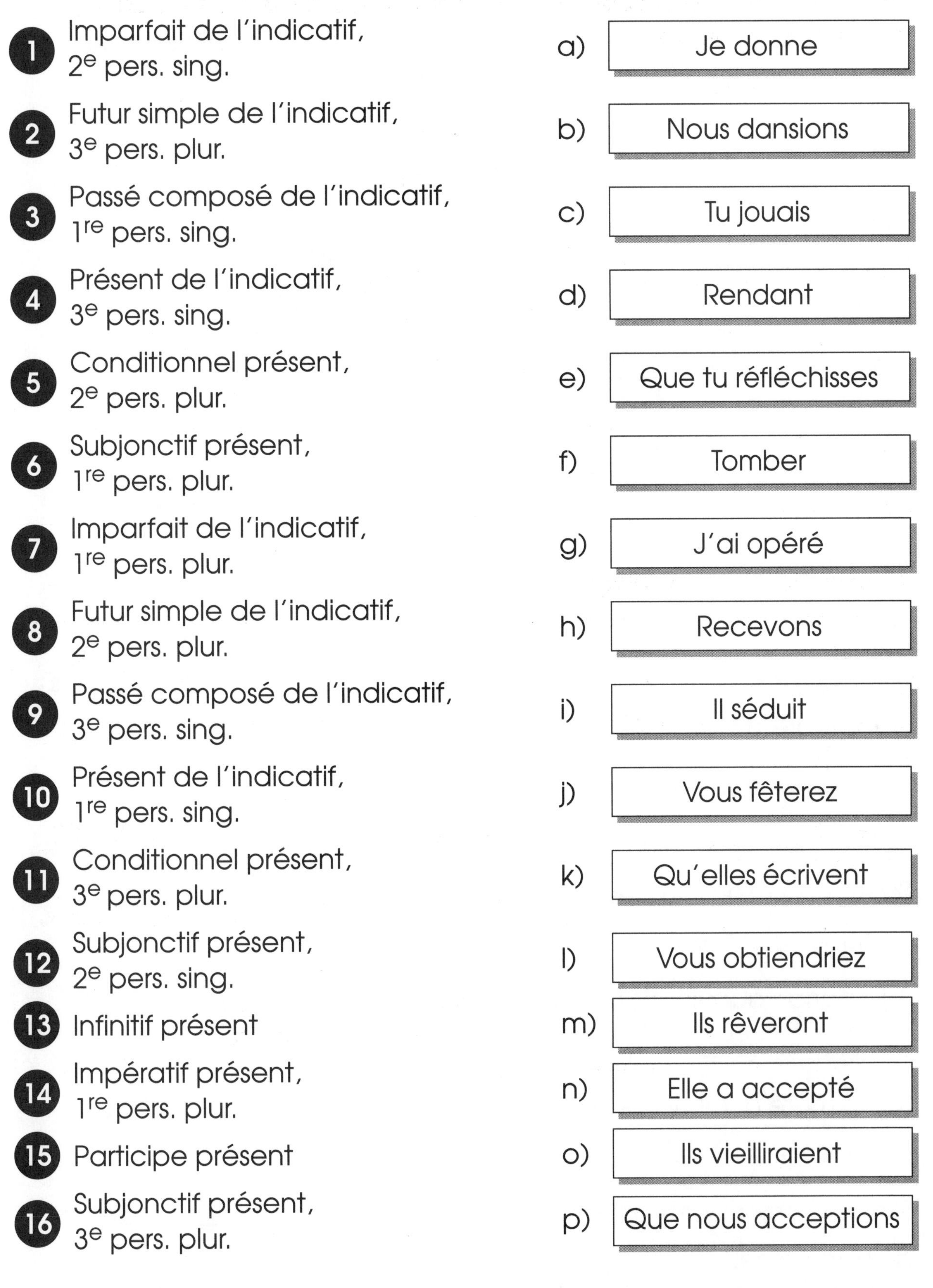

1	Imparfait de l'indicatif, 2e pers. sing.	a)	Je donne
2	Futur simple de l'indicatif, 3e pers. plur.	b)	Nous dansions
3	Passé composé de l'indicatif, 1re pers. sing.	c)	Tu jouais
4	Présent de l'indicatif, 3e pers. sing.	d)	Rendant
5	Conditionnel présent, 2e pers. plur.	e)	Que tu réfléchisses
6	Subjonctif présent, 1re pers. plur.	f)	Tomber
7	Imparfait de l'indicatif, 1re pers. plur.	g)	J'ai opéré
8	Futur simple de l'indicatif, 2e pers. plur.	h)	Recevons
9	Passé composé de l'indicatif, 3e pers. sing.	i)	Il séduit
10	Présent de l'indicatif, 1re pers. sing.	j)	Vous fêterez
11	Conditionnel présent, 3e pers. plur.	k)	Qu'elles écrivent
12	Subjonctif présent, 2e pers. sing.	l)	Vous obtiendriez
13	Infinitif présent	m)	Ils rêveront
14	Impératif présent, 1re pers. plur.	n)	Elle a accepté
15	Participe présent	o)	Ils vieilliraient
16	Subjonctif présent, 3e pers. plur.	p)	Que nous acceptions

Une grammaire en pleine forme !

Croque-Mots travaille fort à l'école. Aujourd'hui il a découvert qu'avec des « si », on ne va pas bien loin. Conjugue les verbes au conditionnel présent.

1. Si j'avais de l'argent, je m'(acheter) ____________________ un ordinateur.
2. Si vous regardiez dans les jumelles, vous (voir) ____________________ de belles espèces d'oiseaux exotiques.
3. S'il n'y avait pas d'école, tu ne (pouvoir) ____________________ pas apprendre plein de choses.
4. Si elles mangeaient encore du gâteau, elles (être) ____________________ malades toute la nuit.
5. Si nous dormions un peu, nous (travailler) ____________________ beaucoup mieux demain.
6. Si je parlais au téléphone avec toi, je ne m'(inquiéter) ____________________ plus.
7. Si ma mère avait un bébé, je (devenir) ____________________ sa grande sœur.
8. Si nous portions une jupe, nous (geler) ____________________ dehors dans la neige.

Stop… c'est le moment d'une pause !

Croque-Mots déguste sa collation et se repose des activités de grammaire. Cherche dans la grille ce que Croque-Mots a mangé comme collation.

La collation de Croque-Mots est un fruit de 10 lettres : ____________________

l	c	a	n	t	a	l	o	u	p	s	k
e	m	u	f	f	i	n	o	i	x	t	i
g	e	f	c	a	r	o	t	t	e	i	w
u	l	s	j	e	a	u	o	r	a	u	i
m	o	a	u	m	b	c	e	l	e	r	i
e	n	n	s	f	i	g	u	e	o	f	s
s	l	a	c	r	a	q	u	e	l	i	n
e	a	n	b	o	f	r	a	i	s	e	i
r	i	a	i	m	p	i	m	e	n	t	s
i	t	s	b	a	n	a	n	e	s	e	i
o	r	a	n	g	e	o	l	i	v	e	a
p	o	m	m	e	b	l	e	u	e	t	r

abricot
ananas
banane
bleuet
carotte
cantaloup
céleri
craquelin
eau
figue
fraise
fromage
fruits
jus
kiwi
lait
légumes
melon
muffin
noix
olive
orange
piment
poire
pomme
raisins

Un fermier pas comme les autres

L'oncle de Croque-Mots travaille sur une ferme où il y a beaucoup d'animaux. Il a préparé un travail pour son neveu. Essaie d'aider Croque-Mots à remplir ce tableau.

chat			miauler
	chienne	chiot	
bœuf		veau	
	cane		
cerf			
		faon	
	chamelle		
cheval			
	truie		grogner
lapin			
	hase		vagir
lion			
	louve		
		agneau	
	ourse		
tigre			feuler
	poule		
sanglier			
		ânon	
éléphant			
	chèvre		

Travailler, c'est trop dur !

Journée de congé à l'école de Croque-Mots. Il a organisé une chasse au trésor pour ses amis. Essaie de trouver, toi aussi, où est caché le trésor de Croque-Mots.

Plan de la chambre de Croque-Mots

Message de Croque-Mots

Voici les indices qui te permettront de trouver mon trésor :

- L'objet est enfoui sous un autre objet.
- Il est à proximité de la bibliothèque.
- Mon trésor est près de la fenêtre.
- Tu n'as aucun tiroir à ouvrir pour le trouver. Mmm… tu brûles !
- Mon trésor n'est pas très volumineux car il aurait été impossible de le placer à cet endroit.
- Il faut soulever l'objet un peu pour y voir le trésor. Si tu le trouves… il est à toi, mon 2 $.

Fais un ✗ à l'endroit où se trouve le trésor de Croque-Mots.

De l'aide qui fait plaisir !

Croque-Mots est fier de l'aide qu'il a pu apporter, un jour, à un de ses amis. Lis le texte suivant pour découvrir ce qui s'est passé, puis réponds aux questions de la page suivante.

Une tempête à faire frémir…

Le 6 janvier 1998 a été une journée mémorable pour plusieurs villes du Québec. La température oscillait entre 0° et 1° Celsius. Une pluie glaciale avait déjà fait des ravages pendant la nuit du 5 janvier. Ce matin du début de cette nouvelle année sera gravé dans ma mémoire jusqu'à la fin de mes jours. Une tempête de verglas… la tempête du siècle ! Cette journée-là, l'obscurité et le froid se sont installés chez moi pour trois longues semaines. Trois semaines à vivre chez l'un, chez l'autre ou dans un centre aménagé pour les sinistrés. La plus grosse panne d'électricité qu'on ait vue. Dehors, c'était terrifiant ! Un spectacle horrible s'offrait à nos yeux. Les routes, les voitures et la nature entière s'étaient couvertes d'un manteau de glace scintillante. Moi… j'ai trouvé ça beau… magnifique ! Mais les événements qui ont suivi m'ont fait réfléchir et renoncer à l'émerveillement. Un, deux, trois jours sans électricité… ce n'est pas si terrible… Mais quinze jours, c'est trop ! Heureusement qu'il y avait mon ami Croque-Mots. Sa famille nous a hébergés pendant dix jours. Les chanceux ! Ils s'étaient procuré une génératrice. Finis les sandwichs et les manteaux pour dormir. Enfin ! une bonne douche d'eau chaude… ce fut bien apprécié.

Lorsque nous sommes retournés à l'école après tous ces congés forcés, chacun a raconté son expérience. J'ai été l'un des plus choyés. Certains, voulant rester dans leur maison, ont manqué de bois de chauffage et de nourriture. D'autres n'ont plus d'arbres vivants autour de leur maison. Mais le pire, j'ai perdu un de mes copains de classe dans un incendie. Probablement que sa famille a voulu se réchauffer… Ah ! quel mois et quelle année inoubliables ! Mère nature n'est pas toujours de notre bord… elle a aussi ses petits caprices !

De l'aide qui fait plaisir *(suite)*

1. As-tu entendu parler de la fameuse tempête de verglas ? Si oui, comment as-tu vécu cette expérience ?

____

____

____

2. Qu'as-tu trouvé de plus étonnant dans cette histoire ?

____

____

____

3. Connais-tu d'autres « caprices de la nature » qui peuvent être vécus difficilement ?

____

____

____

4. Trouve dans le texte trois verbes conjugués à l'imparfait de l'indicatif.

______________ ______________ ______________

5. Combien y a-t-il d'adjectifs qualificatifs ? ______________

   Nomme-les.

____

____

____

6. Quels conseils donnerais-tu à quelqu'un qui vivrait cette expérience ?

____

____

____

Pierre qui roule n'amasse pas mousse...

Numérote dans l'ordre les pages de cette histoire que Croque-Mots a préparée pour toi.

Croque-Mots a expliqué à son père qu'il aimait mieux rester avec ses amis et avoir moins de sous.

Depuis cette fameuse discussion, je n'ai plus jamais entendu parler du déménagement. Fiou !

Son père lui a annoncé qu'il était possible que toute la famille déménage à Vancouver.

Un homme a offert à Croque-Papi un poste de pilote d'avion là-bas.

Croque-Mots a de la peine aujourd'hui. Son père lui a annoncé une très mauvaise nouvelle. Il pleure...

Le salaire de Croque-Papi serait plus élevé. Il pourrait offrir plus de choses à sa famille.

Attends-moi, j'arrive !

Croque-Mots, essoufflé, arrive juste à temps chez Carole pour écouter leur émission favorite : *Question d'énigmes*. Ouf ! Peux-tu répondre, toi aussi ?

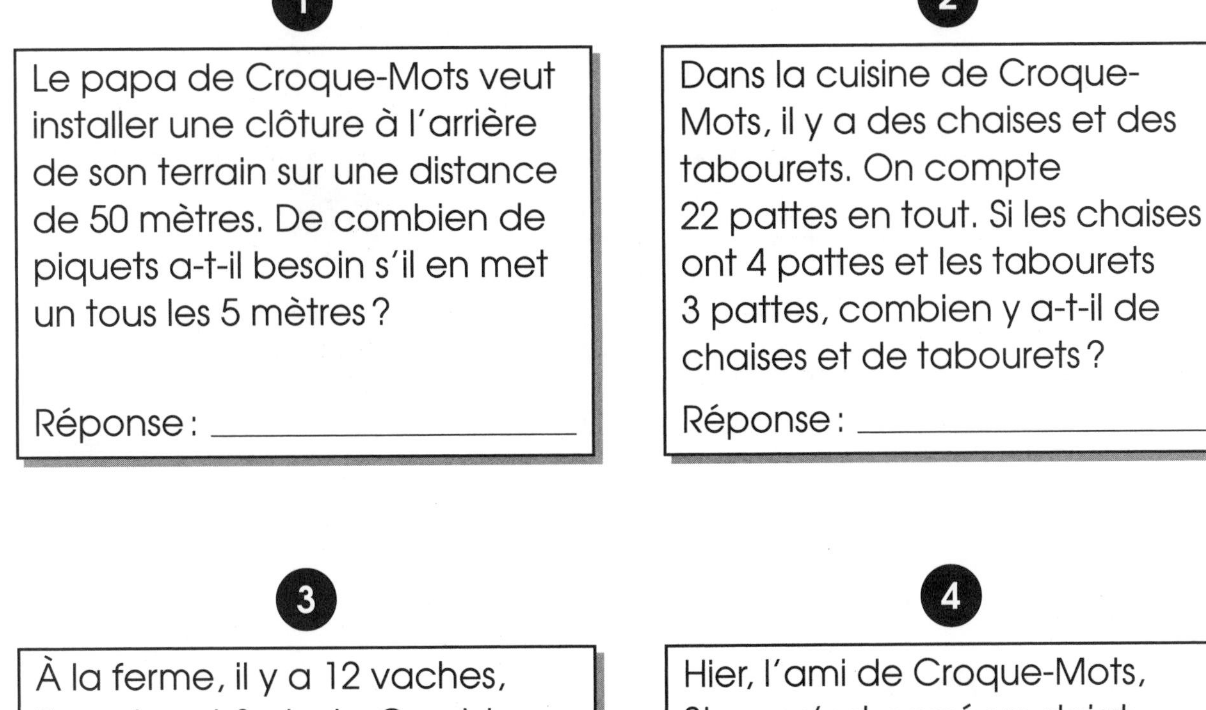

1

Le papa de Croque-Mots veut installer une clôture à l'arrière de son terrain sur une distance de 50 mètres. De combien de piquets a-t-il besoin s'il en met un tous les 5 mètres ?

Réponse : ____________________

2

Dans la cuisine de Croque-Mots, il y a des chaises et des tabourets. On compte 22 pattes en tout. Si les chaises ont 4 pattes et les tabourets 3 pattes, combien y a-t-il de chaises et de tabourets ?

Réponse : ____________________

3

À la ferme, il y a 12 vaches, 7 poules et 3 chats. Combien y a-t-il de pattes en tout ?

Réponse : ____________________

4

Hier, l'ami de Croque-Mots, Steve, s'est cassé un doigt. Combien a-t-il de doigts en tout ?

Réponse : ____________________

5

Croque-Mots a 12 paires de souliers, mais 3 paires n'ont pas de lacets. Combien y a-t-il de lacets en tout ?

Réponse : ____________________

6

De quelle couleur était le petit chat blanc de Mathieu ?

Réponse : ____________________

À la sueur de mon front !

Croque-Mots a fabriqué une grille de mots avec des indices. Il te demande de trouver le mot mystère.

Les métiers

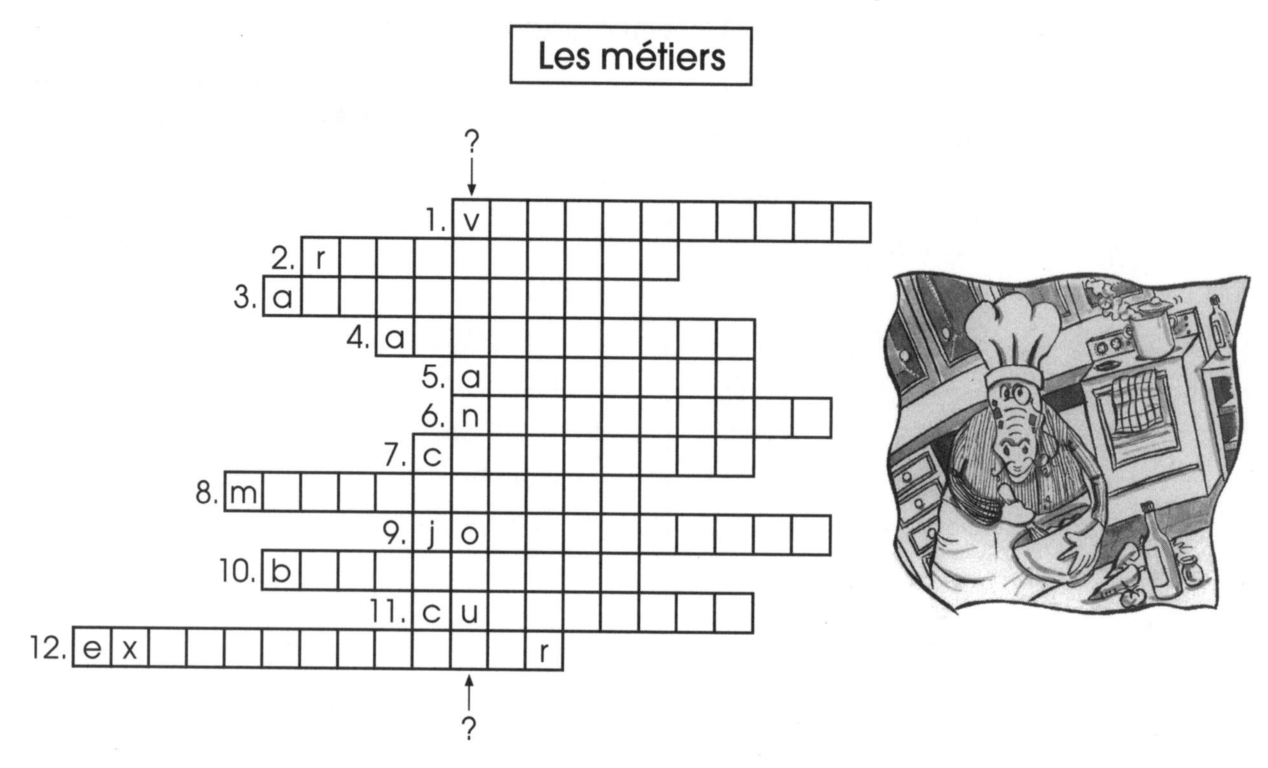

Quel est le mot mystère ? ______________________

Indice : C'est une personne qui travaille près d'un endroit où il fait chaud.

1. Personne qui cultive la vigne.
2. Médecin spécialiste en radiologie.
3. Personne qui élève des abeilles.
4. Homme qui conçoit les plans d'un bâtiment.
5. Personne qui pilote un avion.
6. Médecin spécialisé en neurologie (système nerveux).
7. Personne qui tient les comptes.
8. Spécialiste de l'histoire et de la théorie de la musique.
9. Personne qui écrit des articles de journal.
10. Spécialiste de la biologie (étude des êtres vivants).
11. Personne qui fait la cuisine dans un restaurant.
12. Personne qui extermine les parasites.

Difficile d'en faire plus !

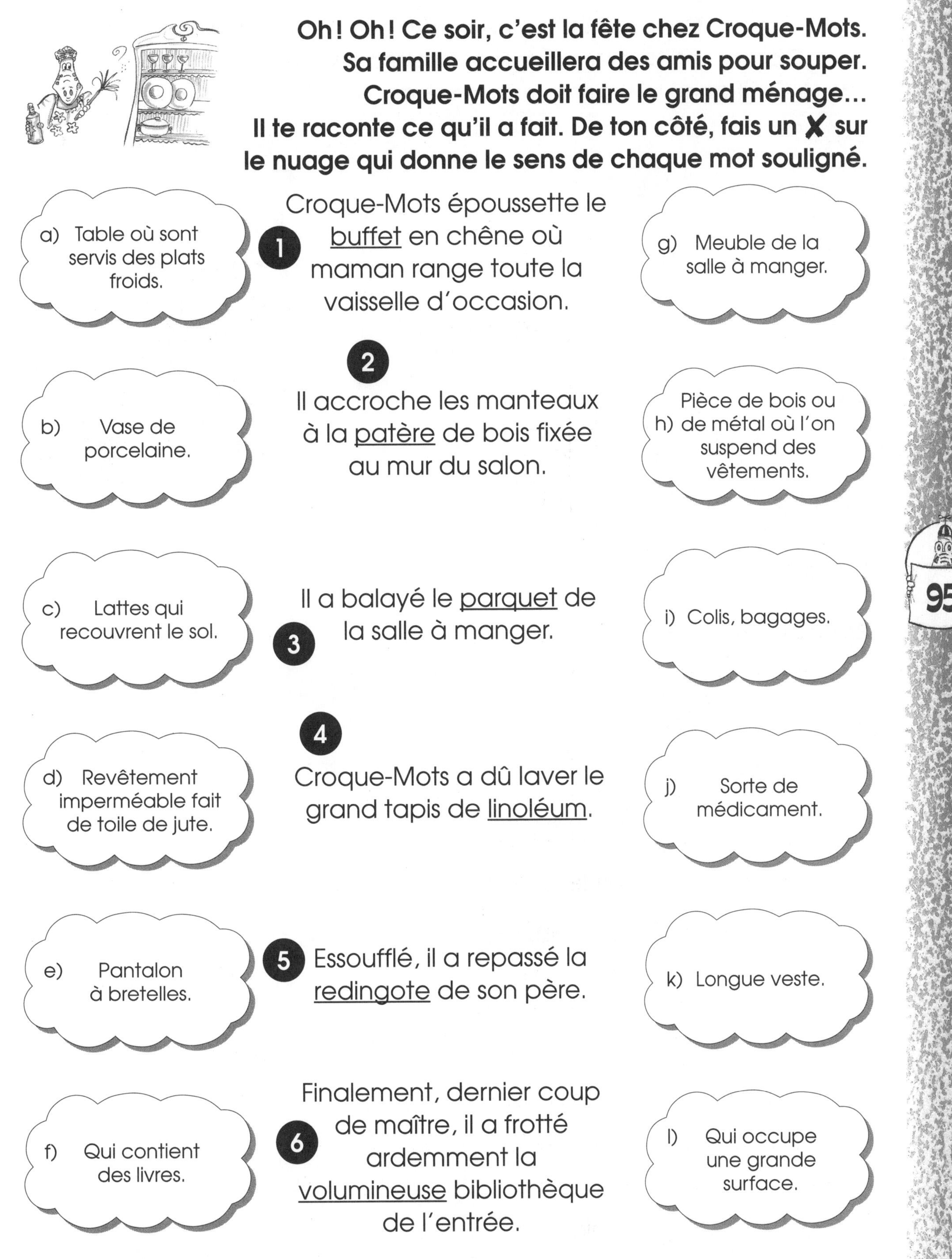

Oh ! Oh ! Ce soir, c'est la fête chez Croque-Mots. Sa famille accueillera des amis pour souper. Croque-Mots doit faire le grand ménage… Il te raconte ce qu'il a fait. De ton côté, fais un ✗ sur le nuage qui donne le sens de chaque mot souligné.

a) Table où sont servis des plats froids.

1 Croque-Mots époussette le buffet en chêne où maman range toute la vaisselle d'occasion.

g) Meuble de la salle à manger.

b) Vase de porcelaine.

2 Il accroche les manteaux à la patère de bois fixée au mur du salon.

h) Pièce de bois ou de métal où l'on suspend des vêtements.

c) Lattes qui recouvrent le sol.

3 Il a balayé le parquet de la salle à manger.

i) Colis, bagages.

d) Revêtement imperméable fait de toile de jute.

4 Croque-Mots a dû laver le grand tapis de linoléum.

j) Sorte de médicament.

e) Pantalon à bretelles.

5 Essoufflé, il a repassé la redingote de son père.

k) Longue veste.

f) Qui contient des livres.

6 Finalement, dernier coup de maître, il a frotté ardemment la volumineuse bibliothèque de l'entrée.

l) Qui occupe une grande surface.

Un petit effort, allons !

Croque-Mots aime bien « jaser » sur Internet. Observe sa conversation écrite avec Bryan, un jeune garçon de la Californie. Mets les bons signes de ponctuation dans les cercles.

Ex. : ! ?

Croque-Mots : Salut ◯

Bryan : Hi ◯

Croque-Mots : Parles-tu français ◯

Bryan : Oui, un petit peu ◯

Mais j'écris mieux en français car je prends des cours sur Internet ◯

Croque-Mots : Es-tu déjà venu au Canada ◯

Bryan : Bien sûr ◯

J'ai de la parenté qui s'est installée au Québec ◯

Croque-Mots : J'aimerais bien aller en Californie un jour ◯

Fait-il chaud ◯

Bryan : Oui, presque toujours ◯

Je dois d'ailleurs te quitter car je m'en vais me baigner ◯

À la prochaine ◯

Croque-Mots : Good Bye ◯

D'arrache-pied !

Croque-Mots et ses amis comparent leur dictée de mots. Corrige-les et trouve celui qui a eu la meilleure note sur 15.

Croque-Mots	Justin	Ann
d'abor	dabore	d'abord
affaire	affère	affêre
anpoule	ampoule	empoule
aujourduit	aujourd'hui	aujourdhui
ancienne	encienne	ansienne
dedant	dedant	dedans
herbe	herbe	erbe
délicieux	délisieux	délicieux
acsident	accidant	accident
parent	parent	parent
peu-têtre	peut-têtre	peut-être
bonomme	bonhomme	bonome
rayon	raillon	rèyon
vivent	vivant	vivant
trante	trente	trente

La meilleure note est : _____ /15 et c'est ______________________ qui l'a obtenue.

Ce qui compte, c'est de participer !

Plongeons dans les mots !

1. Voici une piscine contenant un bon nombre de mots. Plusieurs de ces mots sont écrits correctement. Peux-tu les retrouver et les encercler ?

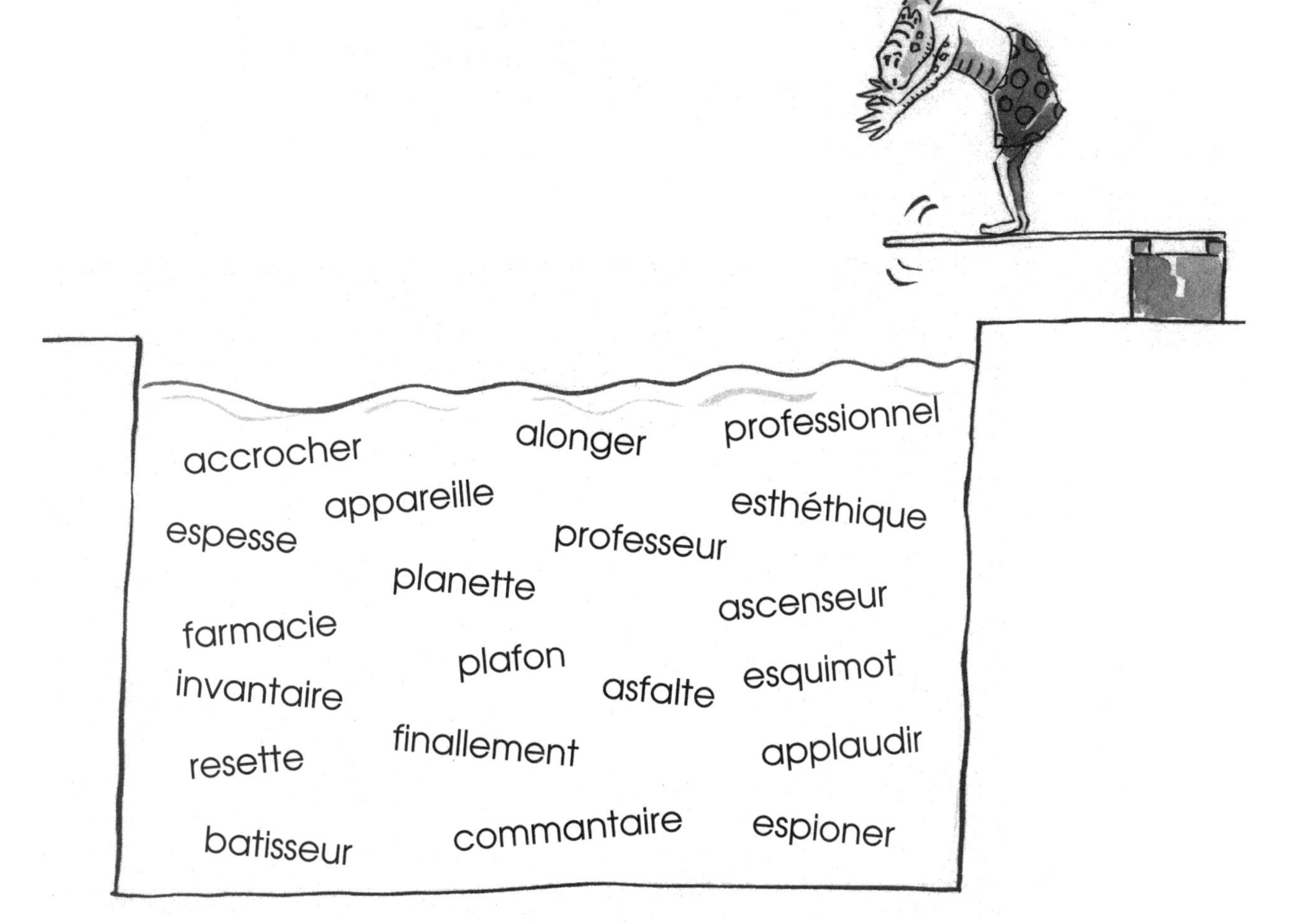

2. Peux-tu orthographier correctement les mots qui ne sont pas encerclés ?

______	______	______
______	______	______
______	______	______
______	______	______
______	______	______

Un athlète extraordinaire

Croque-Mots s'est amusé à trouver toutes sortes de mots qui lui font penser aux sports d'été. À toi de les placer dans la grille.

alpinisme
baignade
baseball
bateau
bicyclette
camping
course
excursion
golf
gymnastique
marche
natation
olympiades
parapente
pique-nique
piscine
plongeon
relais
saut
ski
soccer
tennis
trampoline
triathlon
voile
volley-ball

Mes amis sportifs

Croque-Mots participe à un concours de dessin pour les Jeux olympiques. Il doit absolument respecter des consignes exigeantes s'il veut gagner. Aide-le à réaliser son œuvre.

Consignes du dessin :

- Crée ton dessin dans l'espace désigné.
- Dans le dessin, il doit y avoir de la couleur partout, il ne doit rester aucune partie blanche.
- On doit introduire quatre personnes de nationalités différentes.
- Ces quatre personnes doivent tenir le drapeau de leur pays.
- Elles doivent porter des vêtements sport.
- Le reste du dessin devient ta création personnelle.

Un championnat de lettres

À partir des lettres qui te sont données dans chaque médaille, forme 5 mots différents.

Tu dois utiliser les 3 lettres pour former chaque mot.

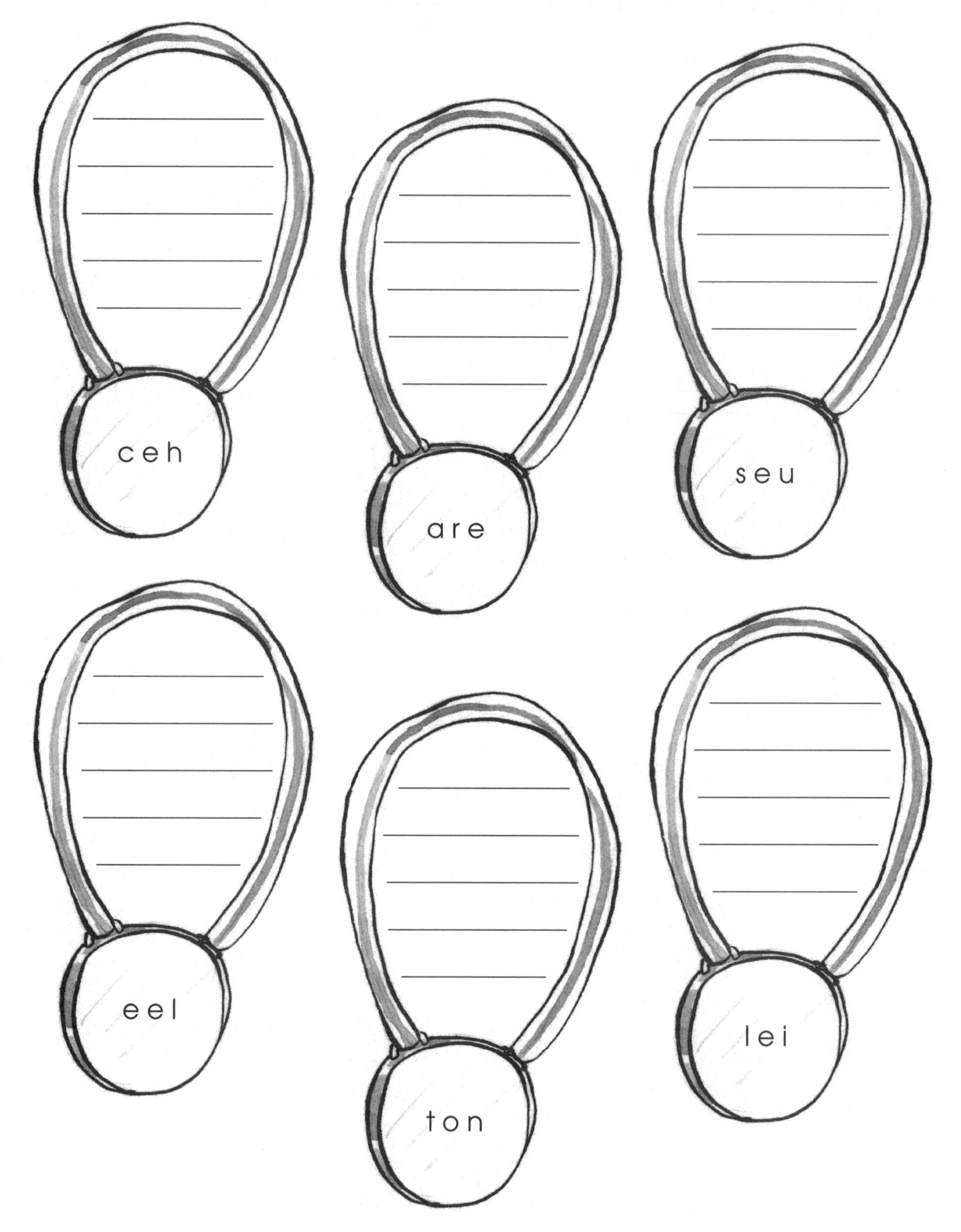

La course aux verbes

1. Essaie de trouver 10 verbes différents pour chacun des groupes ci-dessous.

1er groupe (er)	2e groupe (ir)	3e groupe

2. Choisis une des trois catégories et conjugue ces verbes à l'imparfait de l'indicatif, 2e personne du pluriel.

   Invente une phrase pour chaque verbe conjugué.

Une compétition au pluriel

Mets les groupes de mots suivants au pluriel.

Le journal de l'animal → ______________________

Un repas amical → ______________________

L'animal original → ______________________

Le signal du cardinal → ______________________

Le poisson dans le bocal → ______________________

Le bal et le festival → ______________________

Le hibou et le matou → ______________________

Le trou du caillou → ______________________

Le joujou du toutou → ______________________

Le pou du minou → ______________________

Le bijou dans le local → ______________________

Le sou dans le bocal → ______________________

Le cou du cardinal → ______________________

Le genou du caporal → ______________________

Un chacal et un hibou → ____________

____

Un vocabulaire désaltérant

Choisis le bon mot pour compléter les phrases suivantes.

or	volant	féminine	synchronisée
argent	compétition	artistique	balle
moineau	volonté	bronze	vélo
juges	pays	tennis	triathlon
haltérophile	badminton	deuxième	masculine
biathlon			

1. Le _______________ s'effectue à l'aide de trois exercices : la nage, la course et un circuit de _______________.
2. Un _______________ est une personne qui soulève un instrument formé de deux masses réunies par une tige.
3. Chaque _______________ est représenté par un drapeau distinct.
4. La nage _______________ se fait avec des partenaires de même calibre.
5. Une médaille en _______________ honore la personne qui est arrivée au _______________ rang de son sport.
6. Le _______________ est un sport très apprécié par la population.
7. Ce sont les _______________ qui décident des notes attribuées à chaque athlète.
8. Pour faire une _______________ , il faut beaucoup de _______________ et de persévérance.
9. Le _______________ se pratique avec une raquette et un _______________ .

Des devinettes synchronisées

Lis les indices suivants et essaie de trouver le mot mystère.

1

- Sans moi, ce sport ne peut être pratiqué.
- Je suis troué, léger et toujours très haut.
- Chaque joueur essaie d'entrer un ballon en moi.

Je suis ______________________________.

2

- Je suis un sport qui frappe fort.
- Heureusement que des gants protègent l'adversaire.
- Il faut toujours deux personnes pour pratiquer ce sport.

Je suis ______________________________.

3

- L'athlète a besoin d'une longue perche pour pratiquer ce sport.
- Il atterrit sur un coussin.
- Il doit éviter de faire tomber un bâton.

Je suis ______________________________.

4

- Pour pratiquer ce sport, on a besoin d'une ou de plusieurs balles selon le calibre du joueur.
- J'aime prendre beaucoup de place.
- Sans bâton, je ne peux pratiquer ce sport.
- C'est un sport auquel tout le monde peut participer.

Je suis ______________________________.

Et c'est un abat !

Croque-Mots adore jouer aux quilles. Il a joué plusieurs parties et il a fait beaucoup d'abats. Relie chaque boule à la bonne quille.

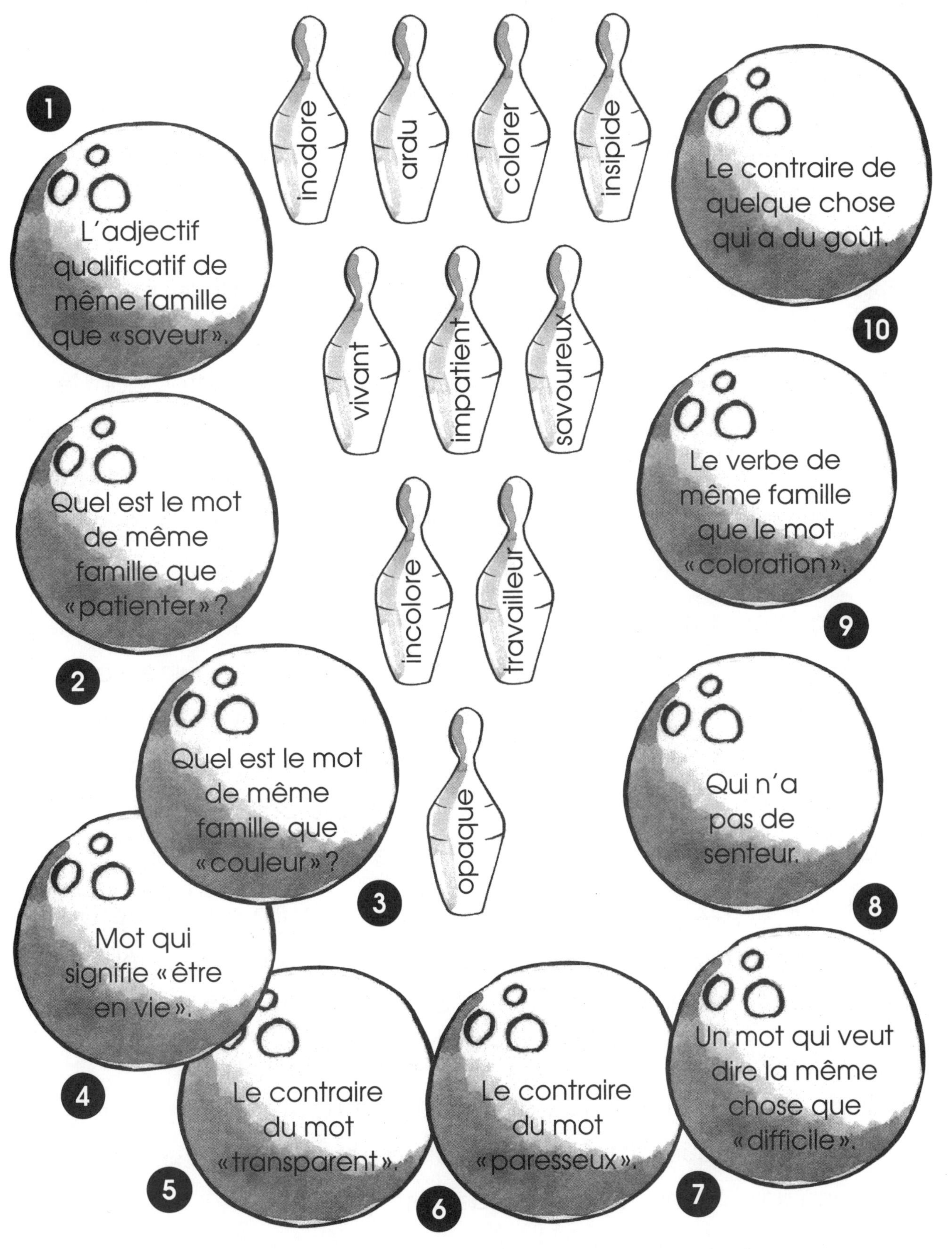

Attention... elle est partie !

Lis le texte et réponds aux questions de la page suivante.

Youpi ! Me voici enfin dans ce stade dont mon père m'a si souvent parlé. Nous ne sommes pas ici pour écouter un concert, mais plutôt pour assister à une excitante partie de baseball.

J'étais vraiment surpris de voir la grandeur de ce stade, car de chez moi on ne voit que le mât incliné. Heureusement que je ne suis pas seul, car j'aurais eu beaucoup de difficulté à trouver mon siège désigné sur le billet. Rendu à ma place, je ne pouvais parler parce que mes yeux découvraient et admiraient un si beau spectacle. La musique, des milliers de personnes, les joueurs dans l'enclos effectuant leurs lancers particuliers, les applaudissements et les cris, la mascotte Youppi avec son air taquin et ses yeux croches, les vendeurs de hot-dogs, l'écran géant animé par d'innombrables petites lumières et mon père assis à côté de moi, tout cela m'excitait au plus haut point.

Après l'hymne national, la partie débute. Mon père me dit de bien surveiller ce frappeur car il est, selon lui, le meilleur de l'équipe. La foule l'encourage à frapper un circuit. Le silence se fait et on entend un « toc » qui sort de l'ordinaire. Je vois la balle fendre l'air et se diriger tout droit vers nous. Mon père se lève d'un coup sec pour essayer d'attraper cette fameuse roche blanche qui arrive en notre direction !

Je ferme les yeux car j'ai peur de recevoir la balle sur la tête. J'entends : « Hourra ! Je l'ai attrapée ! » J'ouvre les yeux et j'aperçois cette fameuse balle dans la main rougie de papa. Il se penche vers moi avec son sourire et m'offre ce petit trésor en cadeau...

Quelle journée ! Comblé, me direz-vous ? Surtout très fier d'avoir un père aussi gentil que lui. L'équipe locale a perdu la partie, mais moi... j'ai gagné un souvenir mémorable de cette journée.

Attention... elle est partie !
(*suite*)

1. Combien de spectateurs assistaient à cette partie de baseball ?

____

2. Qui a gagné la partie ? ______________________

3. Que découvre le garçon en arrivant dans le stade ? (Nomme 5 éléments.)

____

____

4. Avec qui le garçon est-il allé voir la partie de baseball ?

____

5. Trouve 5 verbes dans le texte. Transforme ces verbes au mode infinitif.

Verbes conjugués	Infinitif
____________	____________
____________	____________
____________	____________
____________	____________
____________	____________

6. Trouve 2 mots qui veulent dire la même chose que le mot « balle ».

____________________ ____________________

7. As-tu déjà assisté à une partie de baseball ? Si oui, décris ta journée.

____

____

____

____

Trou d'un coup !

Trouve dans quel trou Croque-Mots a envoyé ses balles au minigolf.
Écris le mot complet dans la bonne colonne.

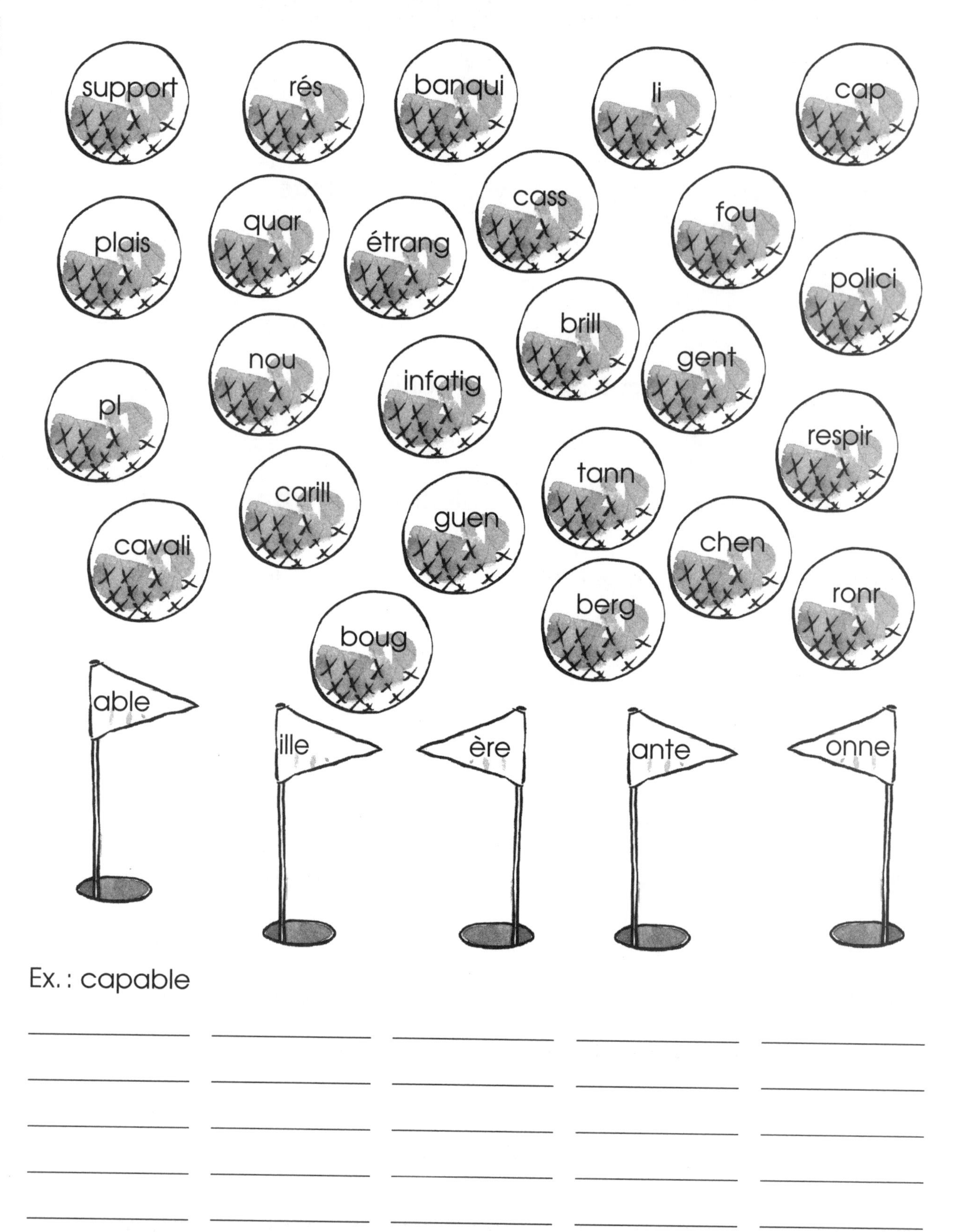

Ex. : capable

Tout un sport !

Croque-Mots a reçu une lettre de son meilleur ami.
Il a remplacé certains mots par des symboles.
Remplace ces symboles par les mots correspondants.

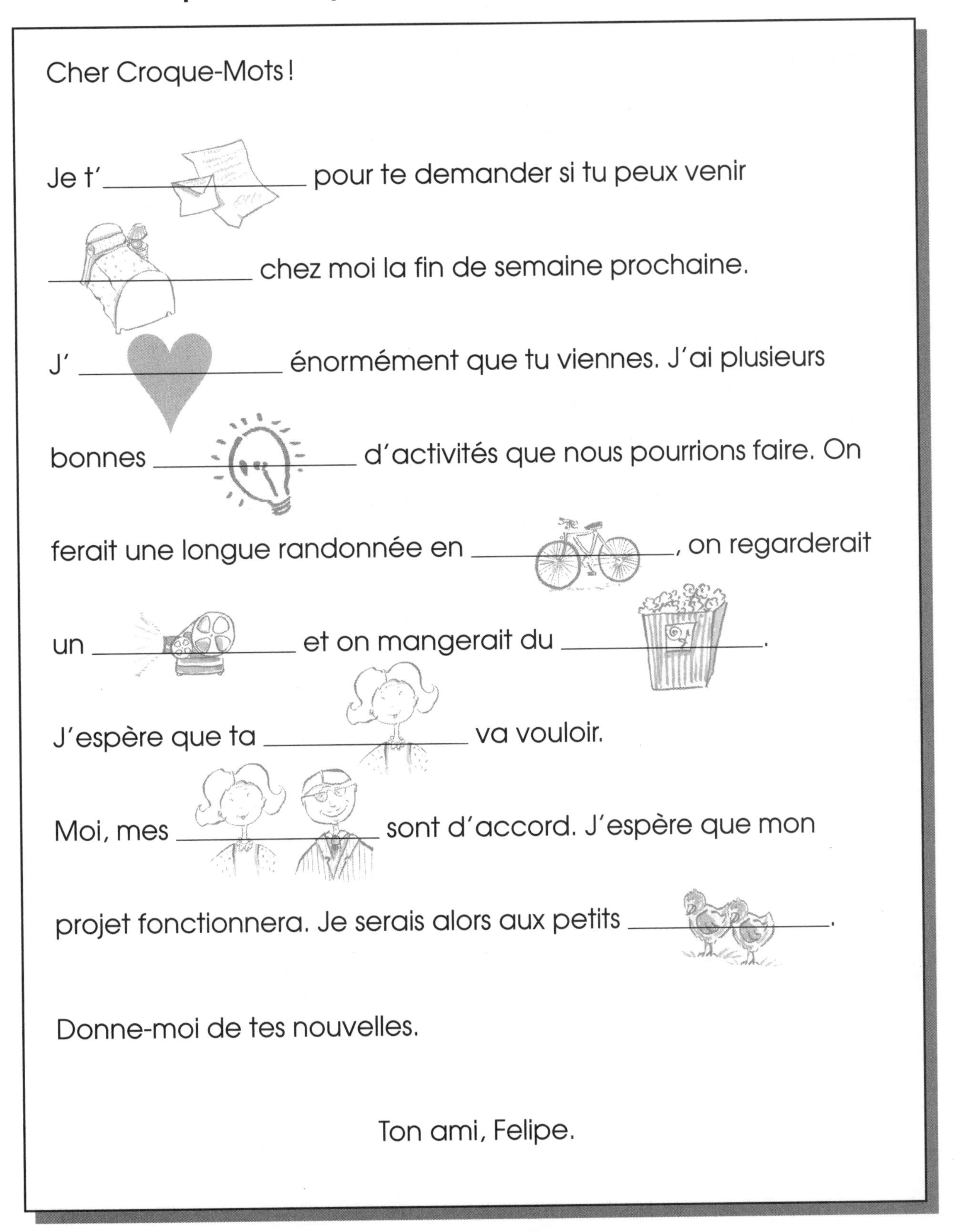

Cher Croque-Mots !

Je t'________ pour te demander si tu peux venir

________ chez moi la fin de semaine prochaine.

J' ________ énormément que tu viennes. J'ai plusieurs

bonnes ________ d'activités que nous pourrions faire. On

ferait une longue randonnée en ________, on regarderait

un ________ et on mangerait du ________.

J'espère que ta ________ va vouloir.

Moi, mes ________ sont d'accord. J'espère que mon

projet fonctionnera. Je serais alors aux petits ________.

Donne-moi de tes nouvelles.

Ton ami, Felipe.

Et c'est un circuit !

Croque-Mots est passionné de baseball. Son oncle l'a emmené au stade voir une partie la semaine dernière. Lis le texte suivant et choisis le bon « son/sont ».

Mon oncle m'a annoncé la bonne nouvelle, il y a deux semaines de cela. _____ employeur lui avait remis une paire de billets pour assister à une partie de baseball. Justement, c'était mon équipe préférée. Nous y sommes donc allés, il y a maintenant sept jours. Ils _____ si merveilleux, ces joueurs. Ils se _____ entraînés pour gagner et ils y parviennent souvent.

Mon oncle a apporté _____ appareil de radio portatif pour qu'on écoute la partie en plus de la regarder. _____ chapeau de travers, ses jumelles à la main et _____ petit sourire en coin... mon oncle était aux anges ! _____ neveu l'était tout autant. J'étais si énervé qu'en me levant brusquement pour applaudir un beau jeu, j'ai laissé tomber ma boisson gazeuse sur l'homme assis devant moi. _____ manteau était trempé. Fiou ! Il a oublié l'incident quelques minutes plus tard, quand la partie s'est terminée avec un fabuleux circuit. Les joueurs de cette équipe _____ vraiment formidables !

Une note parfaite

**Croque-Mots a joué un tour à son frère Croque-Bulles.
Il a effacé des lettres dans les mots que son frère a copiés.
Peux-tu écrire les lettres manquantes ?
Croque-Bulles obtiendra ainsi une note parfaite pour son travail.**

ap___ren___re

aujour___'___ui

bon___omm___

___outeil___e

chan___euse

co___pren___re

const___uire

croi___e

derri___re

dé___ou___rir

d___ffér___nte

e___bras___er

e___pliquer

f___tiguer

fr___nche

gra___me

h___pital

i___por___ante

ju___que

lon___tem___s

mal___eur

mei___leur

mor___eau

n___mmer

o___bre

ouvra___e

para___tre

pas___age

plusieu___ ___

poss___der

pro___ ___sseur

qua___riè___e

rap___orter

rest___ ___rant

s___stème

t___é___tre

vit___sse

l___ngue

Une recherche plus que sportive !

Croque-Mots doit présenter une communication orale sur le sport qu'il préfère. Peux-tu lui donner une idée de celui que tu préfères ?

Ton sport préféré : ______________________

Matériel nécessaire : ______________________

____

____

____

Règlements du sport :

____

____

____

____

____

Autres détails importants :

____

____

____

____

Dessin du sport.

Le podium... rien d'autre !

Ah ! Les Jeux olympiques d'hiver sont terminés depuis plusieurs semaines. Croque-Mots aime bien se rappeler cet événement.

Compose 10 phrases en utilisant un nom, un adjectif qualificatif et un verbe dans chacune d'elles.

Tu peux conjuguer le verbe au temps que tu veux.

Banque de mots		
Noms	**Adjectifs qualificatifs**	**Verbes**
jeux	difficile	gagner
athlètes	superbe	pratiquer
discipline	graves	avoir
skieurs	grand	glisser
sport	bons	patiner
épreuve	olympiques	s'entraîner
patineurs	habiles	descendre
sportif	facile	commencer
skis	intéressante	s'infliger
médaille	persévérants	participer
blessures	cirés	s'inscrire

Ex. : Les athlètes doivent s'entraîner très fort et être persévérants.

1. ______________________________
2. ______________________________
3. ______________________________
4. ______________________________
5. ______________________________
6. ______________________________
7. ______________________________
8. ______________________________
9. ______________________________
10. ______________________________

Une touche réussie!

Croque-Mots regarde le reportage traitant d'un joueur de volley-ball à la télévision. Classe les noms dans la bonne colonne.

Christian Séguin a joué un excellent match hier à Laval. Il a d'ailleurs été nommé meilleur joueur de la partie. Son équipe, les Chaos de Blainville, l'a épaulé jusqu'à la fin. Tout le monde se souviendra longtemps de la superbe touche de Christian lorsque le pointage affiché était de 11 à 12. Le fait d'avoir gardé le service jusqu'à la fin a avantagé l'équipe, qui a gagné plus facilement. Ne manquez pas le prochain match : les Chaos de Blainville joueront contre les Loups de Bellefeuille.

Bonne chance!

Noms communs		Noms propres	
______	______	______	______
______	______	______	______
______	______	______	______
______	______	______	______
______	______	______	______
______	______		
______	______		

Une cible intéressante

Croque-Mots aime bien jouer aux dards avec son copain Pablo. Fais comme eux, mais en français. Chaque fléchette est associée à la terminaison des verbes au présent de l'indicatif, 1re personne du singulier.

Conjugue les verbes et écris la lettre finale dans le cercle correspondant.

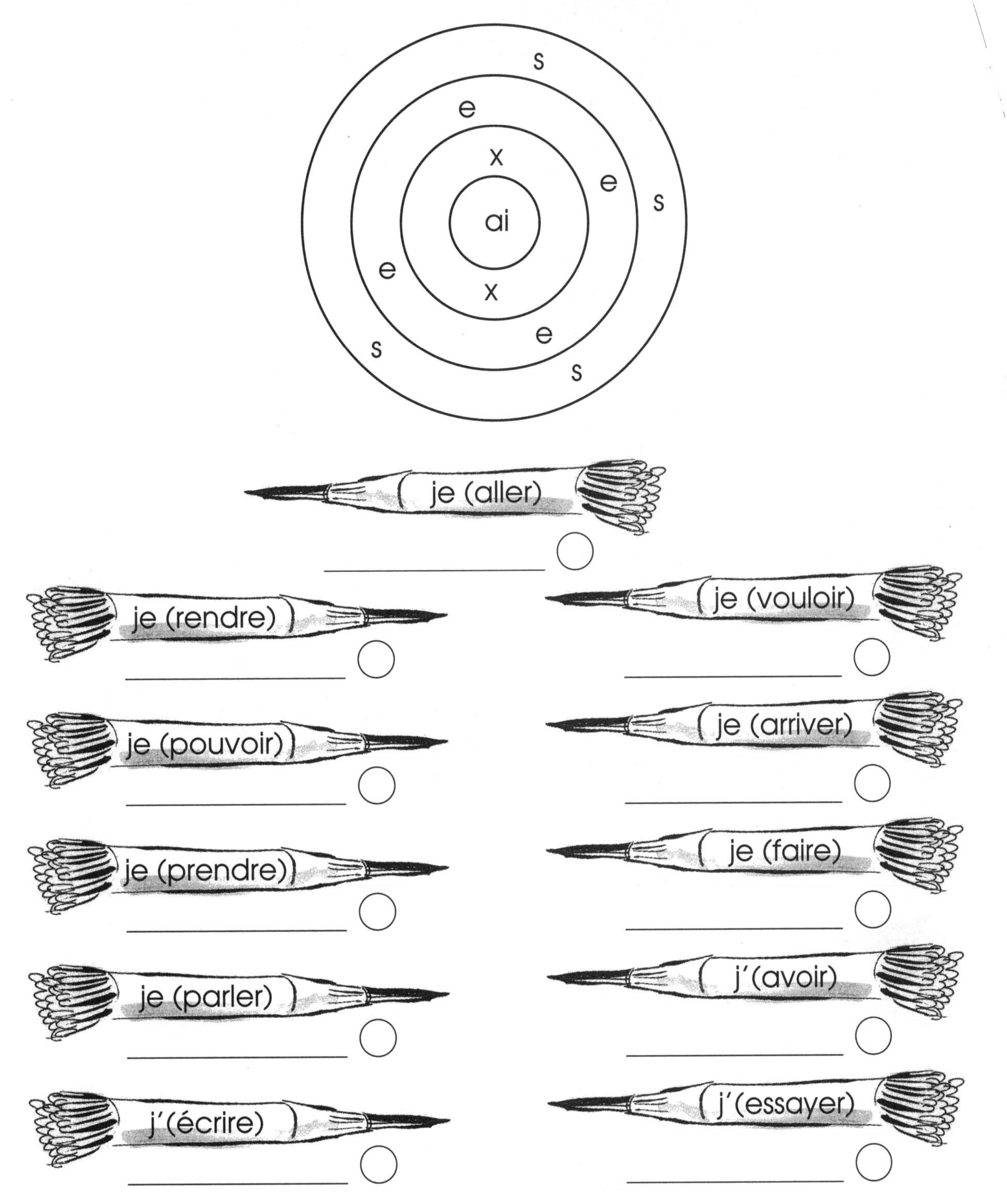

Un rallye en vélo

Croque-Mots doit passer par un seul trajet pour se rendre à l'arrivée.

Il doit suivre . Il ne peut aller en diagonale.

Aide-le ! Bonne chance !

Arrivée

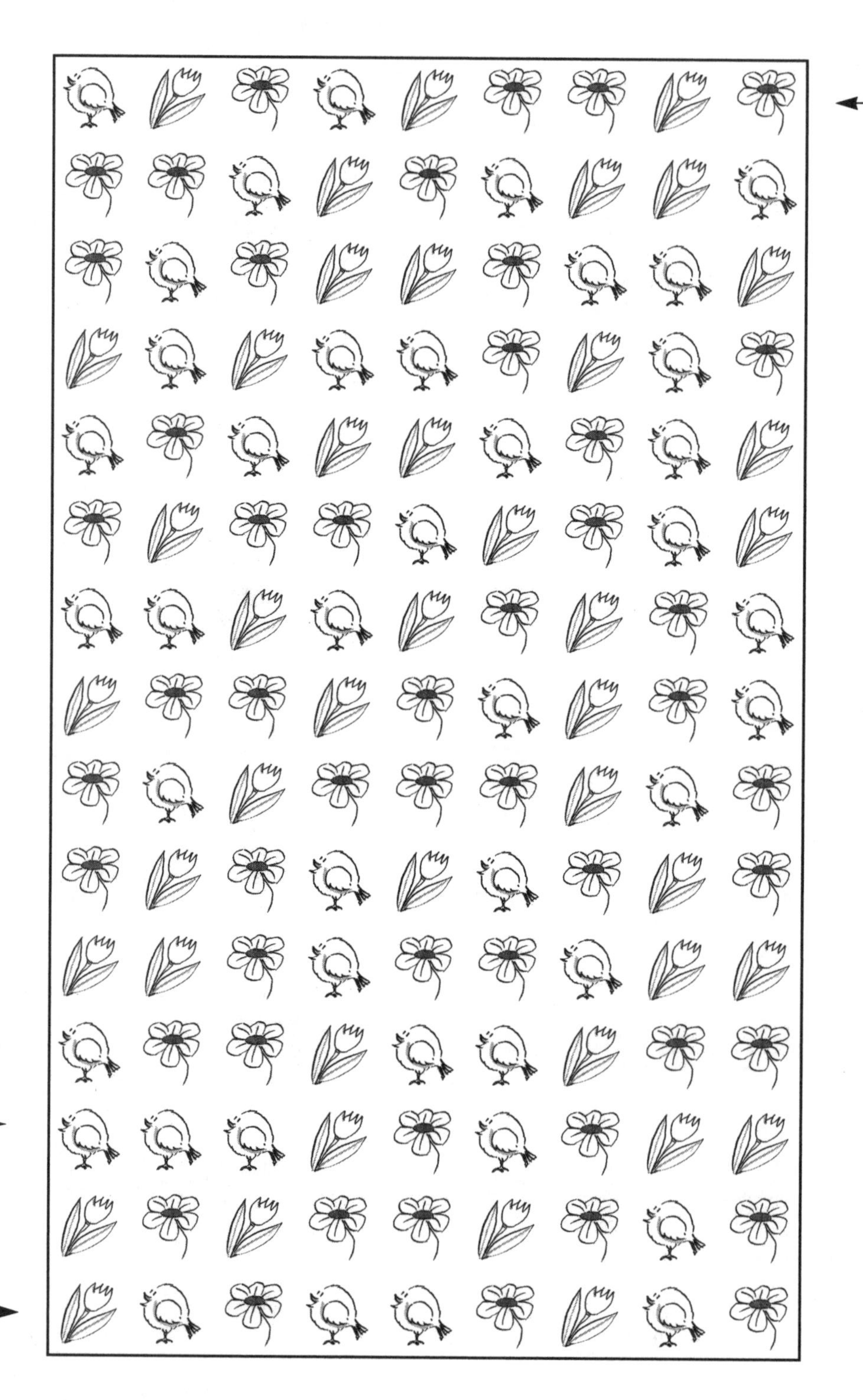

À bout de souffle !

Croque-Mots a fabriqué des cartes de jeu-concours.
Il te demande de répondre par vrai ou faux à ses questions.

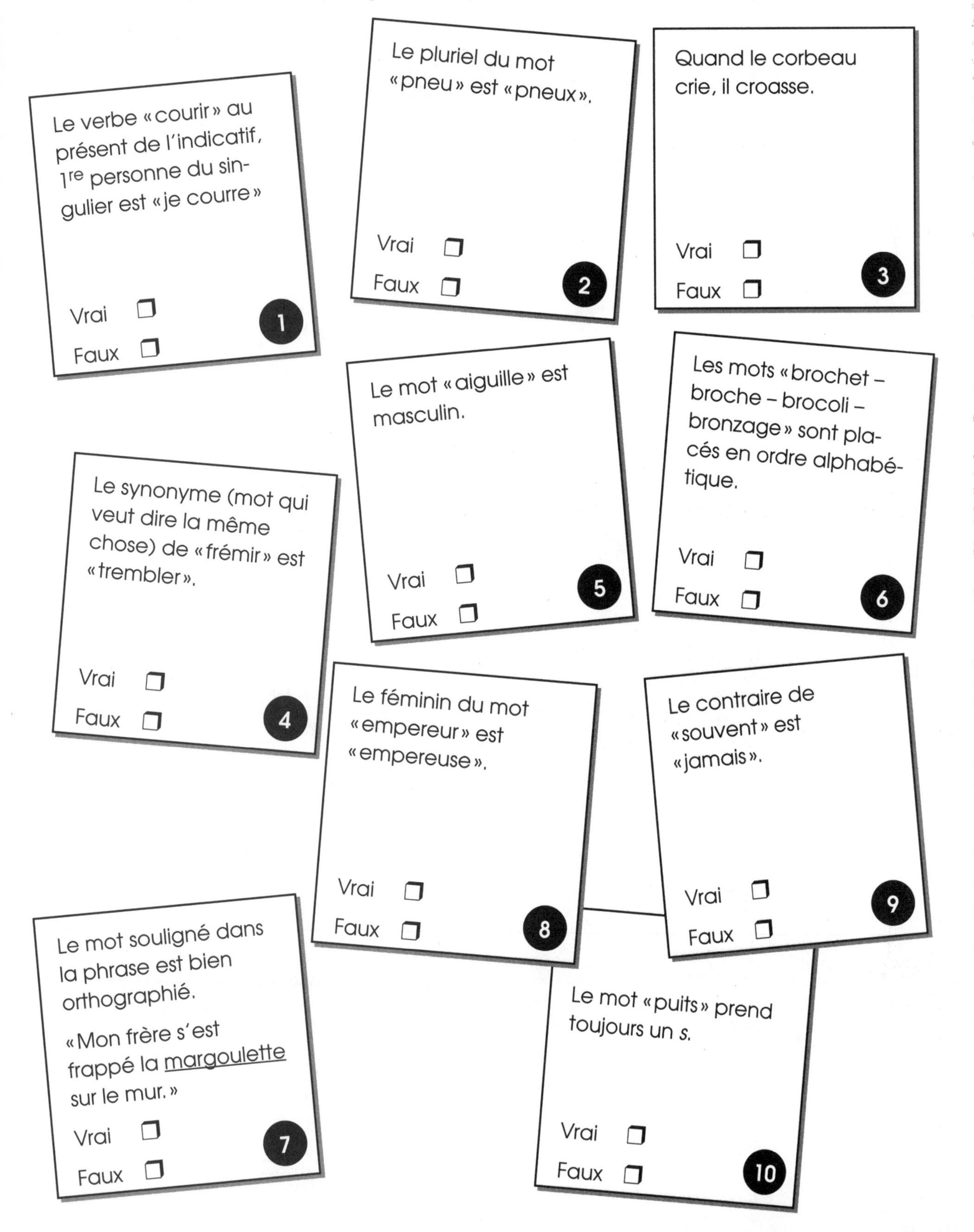

1. Le verbe « courir » au présent de l'indicatif, 1re personne du singulier est « je courre »
Vrai ❐
Faux ❐

2. Le pluriel du mot « pneu » est « pneux ».
Vrai ❐
Faux ❐

3. Quand le corbeau crie, il croasse.
Vrai ❐
Faux ❐

4. Le synonyme (mot qui veut dire la même chose) de « frémir » est « trembler ».
Vrai ❐
Faux ❐

5. Le mot « aiguille » est masculin.
Vrai ❐
Faux ❐

6. Les mots « brochet – broche – brocoli – bronzage » sont placés en ordre alphabétique.
Vrai ❐
Faux ❐

7. Le mot souligné dans la phrase est bien orthographié.
« Mon frère s'est frappé la margoulette sur le mur. »
Vrai ❐
Faux ❐

8. Le féminin du mot « empereur » est « empereuse ».
Vrai ❐
Faux ❐

9. Le contraire de « souvent » est « jamais ».
Vrai ❐
Faux ❐

10. Le mot « puits » prend toujours un *s*.
Vrai ❐
Faux ❐

Au naturel !

Tout un environnement !

Croque-Mots s'amuse à placer plusieurs mots masculins dans les cases de la forme féminine correspondante.

Peux-tu l'aider ?

euse	onne	trice

e	enne	ère

acteur
gamin
gardien
bon
directeur
patron
boulanger
mineur
américain
indien
espion
voisin
opérateur
nageur

chanteur
menteur
lion
joueur
mignon
client
instituteur
policier
grand
politicien
cuisinier
musicien
peureux
chien

Chassez le naturel, il reviendra au galop !

Trouve la nature de chacun des mots suivants.
Utilise ton dictionnaire pour t'aider.

Mot	Nature
chanson	
Ontario	
Saint-Laurent	
un	
menteur	
plante	
sauter	
dire	
ville	
Sandrine	
qui	
sept	
cadre	
des	
nous	
anglais	

Mot	Nature
mon	
soulier	
dans	
le	
sac	
taille-crayon	
resplendissant	
prendre	
essayer	
je	
Croque-Mots	
Blainville	
ordinateur	
brun	
dix-huit	
argent	

Des mots inspirants

Croque-Mots joue au poète avec ses amis. Il choisit des mots au hasard et trouve à quoi ces mots lui font penser. Veux-tu jouer avec lui ?

À quoi te fait penser le mot :

Exemple :

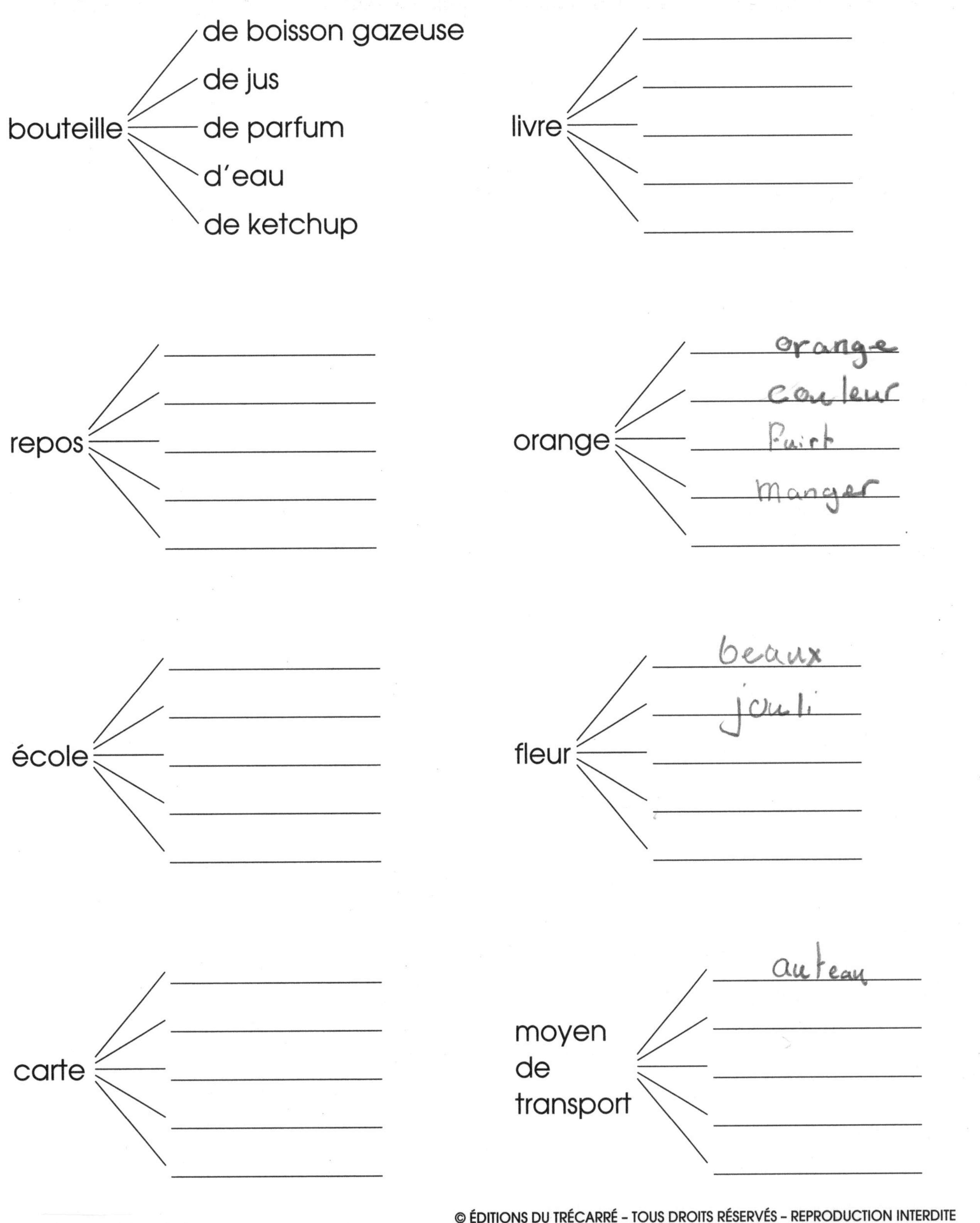

Au pas, camarade...

En utilisant la terminaison qui t'est donnée, essaie de trouver le début de chaque mot. C'est parti !

1. Trouve 5 mots se terminant par : er

____

2. Trouve 5 mots se terminant par : dre

____

3. Trouve 5 mots se terminant par : ir

____

4. Trouve 5 mots se terminant par : eur

____

5. Trouve 5 mots se terminant par : al

____

Un pique-nique du tonnerre !

À l'aide des consignes ci-dessous, fais un dessin se rapportant à un pique-nique près d'une rivière.

Dans ton dessin, tu dois :

1. illustrer quatre personnages.
2. placer une rivière.
3. faire sentir que tu es en montagne.
4. mettre une nappe à carreaux rouges et verts.
5. placer des fleurs sauvages.
6. laisser voir que ton activité se déroule en été.
7. placer un cheval brun.
8. mettre un joli panier de pique-nique.

À tes crayons !

Ta réalisation :

Qui veut grimper ?

Es-tu capable de grimper l'échelle pour en arriver à composer une fantastique phrase avec tous les mots des barreaux ? Tu dois conserver la phrase du début et ajouter le mot qui t'est donné.

Un sentier d'idées

Plus de 30 mots sont cachés dans cette grille remplie de lettres. Tu peux trouver ces mots en cherchant de gauche à droite, de droite à gauche, de haut en bas, de bas en haut et en diagonale. Trouve au moins 20 mots et écris-les.

f	l	c	a	n	a	r	d	p	a	r	c	r	i	n	ô	t
u	v	p	d	a	t	e	s	a	b	l	e	u	e	t	h	é
m	i	e	l	b	a	t	i	r	é	v	z	a	v	i	o	l
e	e	u	e	k	j	f	e	c	v	o	i	t	u	r	e	é
r	r	a	m	c	t	h	i	m	o	y	p	b	c	p	s	p
a	è	r	v	e	r	u	ê	e	m	n	v	t	ô	s	g	h
j	i	t	e	x	e	u	s	i	n	e	g	c	t	e	f	o
s	c	i	c	a	m	k	o	r	l	b	f	é	é	q	e	n
i	i	s	n	m	u	s	e	s	l	o	i	d	a	r	d	e
r	l	t	a	i	l	d	i	r	e	c	n	o	l	l	a	b
u	o	e	h	n	o	s	i	a	s	r	e	l	i	o	t	é
o	p	s	c	e	v	c	a	p	a	b	l	e	x	d	e	s
s	a	m	i	r	w	g	d	è	p	r	o	d	u	i	r	e

1. ______________________
2. ______________________
3. ______________________
4. ______________________
5. ______________________
6. ______________________
7. ______________________
8. ______________________
9. ______________________
10. ______________________
11. ______________________
12. ______________________
13. ______________________
14. ______________________
15. ______________________
16. ______________________
17. ______________________
18. ______________________
19. ______________________
20. ______________________

Orientation en forêt

Oriente Croque-Mots pour qu'il choisisse le bon mot dans les phrases suivantes.

1. Entre les mots «son» et «sont».

   a) Tes copains ____________ très sympathiques.

   b) ____________ cahier est rempli de saletés.

   c) J'aime bien le ____________ de ____________ saxophone.

   d) Ils ____________ fiers de leurs travaux.

2. Entre les mots «a» et «à».

   a) Yves ____________ le sens de l'orientation en forêt.

   b) Julie aime bien aller ____________ la garderie.

   c) France ____________ de beaux chandails ____________ la mode.

   d) Patrick sort de la maison et se met ____________ courir.

3. Entre les mots «peu», «peux» et «peut».

   a) Je ____________ battre tous les records.

   b) Il se ____________ que j'aille au cinéma.

   c) ____________ à ____________, Shanna s'améliore dans ses travaux.

   d) Tu ____________ me donner un coup de main.

4. Entre les mots «mais», «mes» et «mets».

   a) ____________ tes souliers pour jouer dehors.

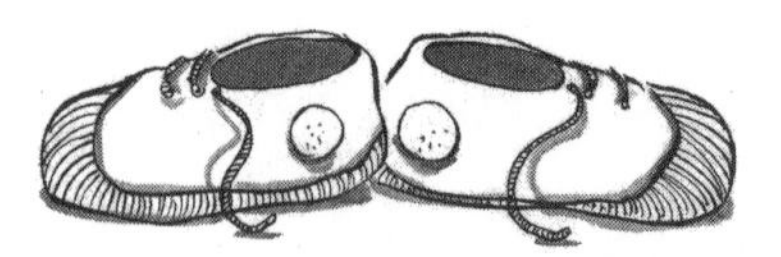

   b) ____________ cahiers sont disparus.

   c) J'aime rire, ____________ ____________ amis ne trouvent pas ça drôle.

   d) Je ____________ un tablier lorsque je cuisine.

De folles bestioles !

Croque-Mots s'applique à faire des poèmes qui riment.
Il te demande d'essayer, toi aussi, en complétant les phrases suivantes.
Tes rimes peuvent être farfelues.

Exemple de Croque-Mots :

La fourmi Mimi adore les spaghettis.

1. Le maringouin ____.
2. Un papillon ____.
3. L'abeille ____.
4. Le scarabée ____.
5. La coccinelle ____.
6. Une chenille ____.
7. Le ver de terre ____.
8. La mouche ____.
9. La sauterelle ____.
10. Un taon ____.
11. Une libellule ____.
12. La luciole ____.

Une nature en couleurs

Une énumération, c'est lorsqu'on nomme plusieurs choses de suite en plaçant des virgules entre chaque mot.

1. Souligne les énumérations dans le texte suivant.

Au printemps, la nature s'éveille à la beauté. Tout renaît. Les fleurs des champs, les feuilles des arbres, l'herbe et les plantes nous dévoilent leurs plus beaux atours. Tout autour de nous, c'est la symphonie des couleurs : rouge, vert, jaune, bleu, blanc, etc. De divins parfums se dégagent de cette terre tant utile à notre survie. De savoureuses fraises, de juteuses framboises, d'immenses choux, d'excitants épis de maïs doré et de rafraîchissantes pastèques embellissent les champs et ravissent nos palais. Et que dire de tous ces arbres fruitiers : cerisiers, pommiers, pruniers, citronniers, pêchers, abricotiers, etc. Chanceux ? Nous le sommes… de profiter d'une si belle nature. Préservons-la !

2. Continue les énumérations suivantes.

a) Croque-Mots connaît plusieurs sports, comme le tennis,

____

____

b) Pour préparer un gâteau, tu as besoin de farine,

____

____

c) Julien aime toutes les sortes de fleurs : les roses,

____

____

d) Quand Croque-Mots fait de la plongée, il apporte son maillot,

____

____

e) Parmi les planètes du système solaire, il y a Vénus,

____

____

Sauvage comme le camping

Croque-Mots est allé faire du camping sauvage avec un de ses amis. Décode son message pour découvrir comment il a vécu son expérience.

Le code :

26	25	24	23	22	21	20	19	18	17	16	15	14	13	12	11	10	9	8	7	6	5	4	3	2	1
A	B	C	D	E	F	G	H	I	J	K	L	M	N	O	P	Q	R	S	T	U	V	W	X	Y	Z

¡20 6 19

18 26 , 17 '8 7 12 14 - 22 6 10 12 9 24 '18 12 14

22 14 14 12 24 8 9 6 12 17 3 6 22 23 6 24 22́ 5

7 8 22 , 8 13 12 '8 13 22 18 23 13 18 8 22 15

9 6 12 11 18 11 18 7 13 6 22́ 6 10 18 9 25 26 21

7 22 22́ 19 24 22̂ 11 26 13 12 '9 18 14 9 12 23

18 26 , 17 '13 12 8 8 18 12 11 22 9 7 12 13 22́ 20 13 26 14

'22 24 13 22 18 9 22́ 11 3 22 22 7 7 22 24 22́ 9 12 23 26

Déjeuner sur l'herbe

Croque-Mots aimerait que tu lui composes quatre menus différents d'un déjeuner bien équilibré. Fais preuve d'un peu d'imagination et essaie d'utiliser les quatre groupes alimentaires.

- Produits laitiers
- Viandes et substituts
- Pains et céréales
- Fruits et légumes

Menu n° 1

____

____

____

____

____

Menu n° 2

____

____

____

____

____

Menu n° 3

____

____

____

____

____

Menu n° 4

____

____

____

____

____

Des oiseaux de toutes sortes

1. Inverse les phrases suivantes en commençant chacune de tes phrases par le mot « quand ».

a) J'adore observer les oiseaux dans mes jumelles quand le printemps arrive.

____

b) Les oiseaux se précipitent vers la mangeoire quand je leur donne des graines.

____

c) J'essaie de trouver tous les noms des oiseaux que je rencontre quand je vais me promener dans les bois.

____

d) J'ai trouvé un nid abandonné quand je me promenais en tout-terrain.

____

e) Un geai bleu s'est posé sur le rebord de ma fenêtre quand j'ai ouvert les grands rideaux.

____

2. Compose 5 phrases avec le mot « quand ». Tu dois faire référence aux oiseaux.

a) ____

b) ____

c) ____

d) ____

e) ____

Des jeux... tout naturellement !

1. Choisis un temps de verbe. Forme une grille avec les six personnes du verbe « pouvoir » et conjugue-le au temps que tu as choisi.

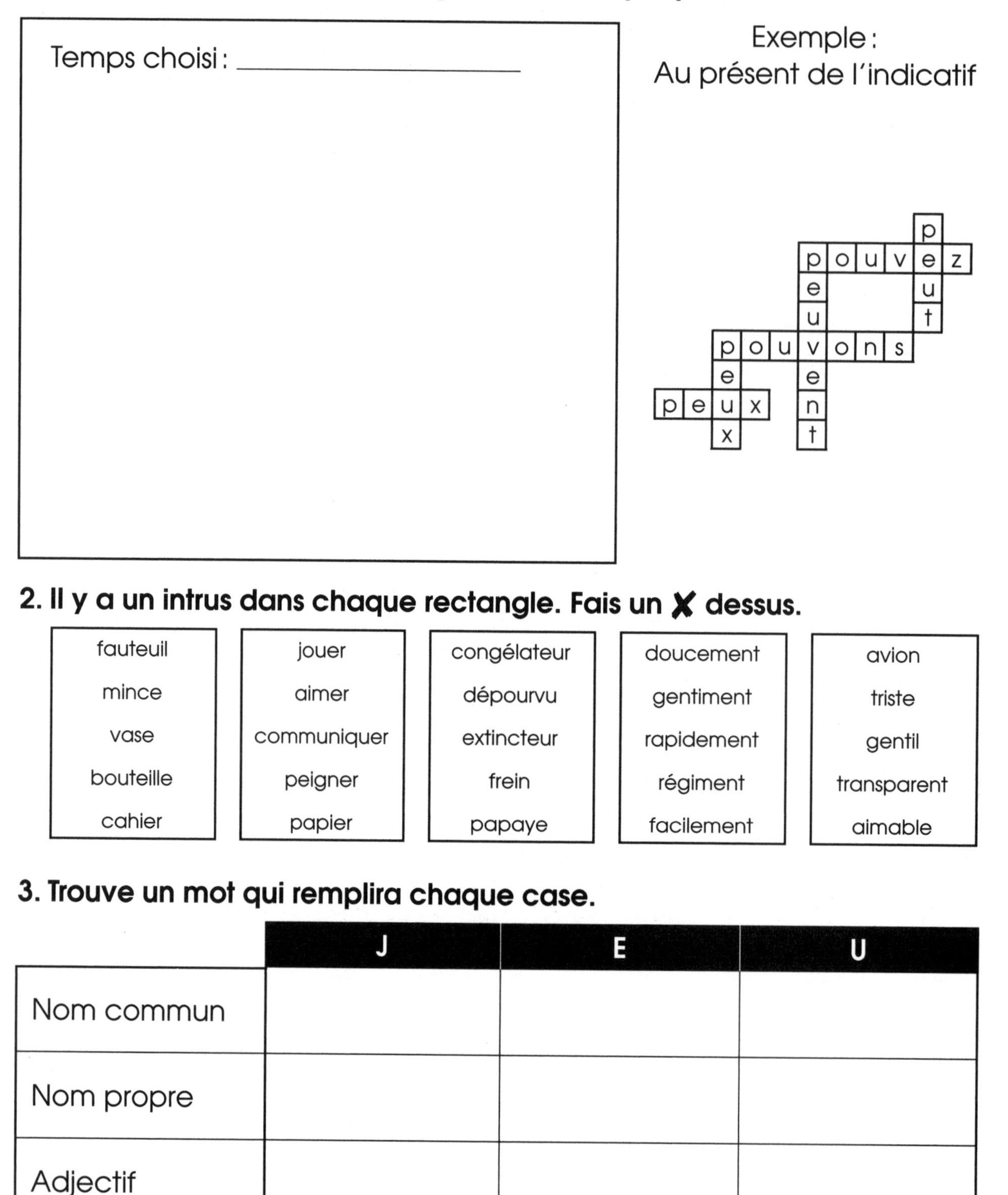

2. Il y a un intrus dans chaque rectangle. Fais un ✘ dessus.

fauteuil	jouer	congélateur	doucement	avion
mince	aimer	dépourvu	gentiment	triste
vase	communiquer	extincteur	rapidement	gentil
bouteille	peigner	frein	régiment	transparent
cahier	papier	papaye	facilement	aimable

3. Trouve un mot qui remplira chaque case.

	J	E	U
Nom commun			
Nom propre			
Adjectif			
Verbe			

Côté jardin !

Croque-Mots a confectionné un herbier dans son cours de sciences de la nature. Essaie de faire comme lui. Choisis une fleur ou une plante et remplis la fiche suivante.

<u>Mon herbier</u>

Fleur ou plante choisie : ______________________________

Autre nom qu'on lui donne : ______________________________

Famille : ______________________________

Habitat : ______________________________

Couleurs : ______________________________

Fleurs : ______________________________

Utilisation alimentaire ou utilisation médicale.

____

____

____

____

Dessin de ma plante.

Légumes et fruits, bon appétit !

Observe bien tous les adjectifs qualificatifs dans le rectangle du bas. Ils qualifient très bien des légumes ou des fruits. Place-les au bon endroit dans la grille.

juteux	tendre	confit
appétissant	incomparable	sec
mûr	mou	vert
croquant	rafraîchissant	charnu
dur	comestible	frais

J'en ai un !

Lis la petite histoire de Croque-Mots et place chaque mot ou groupe de mots dans la bonne colonne.

1. Croque-Mots pêche dans la petite rivière.
2. Depuis quelque temps , il attrape beaucoup de poissons.
3. Son ami l' accompagne souvent à la rivière .
4. L'autre jour, ils ont fait un concours.
5. C'est Croque-Mots qui a gagné le concours.
6. Notre copain a pêché cinq petits poissons.
7. Cette rivière regorge de beaux poissons.
8. Croque-Mots adore placer le ver sur l'hameçon.
9. La pêche semble être un sport facile pour notre ami.
10. L'an prochain , peut-être sera -t- il champion pêcheur ?

	Sujets	Verbes	Compléments
1			
2			
3			
4			
5			
6			
7			
8			
9			
10			

Des nuages à l'horizon !

Croque-Mots s'amuse à observer les nuages et à leur trouver des ressemblances. Mais toi, connais-tu vraiment les nuages ? Lis ces informations et réponds aux questions.

1. Quels sont les nuages qui annoncent le mauvais temps ?

   ____

2. Quels sont les nuages qui ressemblent à de gros paquets de ouate ?

   ____

3. Quels sont les nuages qui nous cachent les rayons du soleil ?

   ____

4. Quels sont les nuages qui ressemblent à des filaments de laine ?

   ____

Un soleil accablant !

Découvre, à l'aide de ces coordonnées, le message que Croque-Mots t'a laissé.

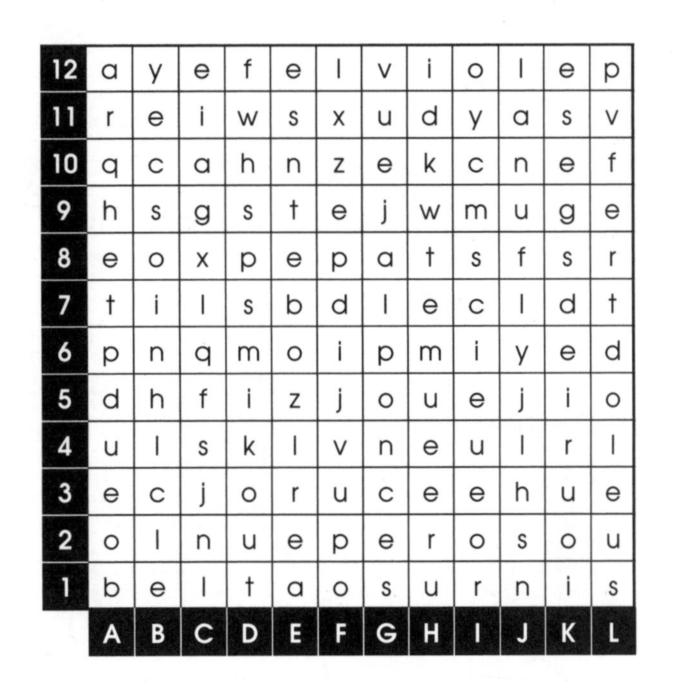

12	a	y	e	f	e	l	v	i	o	l	e	p
11	r	e	i	w	s	x	u	d	y	a	s	v
10	q	c	a	h	n	z	e	k	c	n	e	f
9	h	s	g	s	t	e	j	w	m	u	g	e
8	e	o	x	p	e	p	a	t	s	f	s	r
7	t	i	l	s	b	d	l	e	c	l	d	t
6	p	n	q	m	o	i	p	m	i	y	e	d
5	d	h	f	i	z	j	o	u	e	j	i	o
4	u	l	s	k	l	v	n	e	u	l	r	l
3	e	c	j	o	r	u	c	e	e	h	u	e
2	o	l	n	u	e	p	e	r	o	s	o	u
1	b	e	l	t	a	o	s	u	r	n	i	s
	A	**B**	**C**	**D**	**E**	**F**	**G**	**H**	**I**	**J**	**K**	**L**

(C,10) (I,4) (C,3) (F,1) (L,2) (L,8) F,7)' (B,5) (D,2) (K,5) (I,10) (E,12) (K11) (E,6) (G,4) (H,8)

(J,7) (A,8) (J,2) (A,2) (C,7) (B,12) (H,6) (L,12) (B,7) (E,1) (L,6) (G,10) (L,1)

(D,9) (B,3) (L,5) (F,12) (J,11) (D,5) (I,1) (G,2) (K,8). (E,4) (B,1)

(B,9) (G,5) (L,4) (E,8) (H,12) (F,12) (A,1) (K,4) (K,1) (C,1) (G,7) (C,12)

(A,5) (I,5) (D,1) (K,2) (F,3) (I,8) (C,4) (L,3) (D,7) (L,10) (H,4) (H,1) (F,11). (I,2) (J,9) (C,5) !

(C,6) (A,4) (A,3) (J,4) (B,2) (K,12) (J,5) (D,3) (K,3) (E,3) (J,1) (E,2) (H,3) (L,9) (C,2)

(G,6) (K,6) (H,2) (G,1) (F,2) (I,3) (G,3) (L,7) (I,6) (F,4) (F,9) !

Pris au piège !

Relie le papillon masculin au filet qui contient la bonne terminaison au féminin.

Le corrigé

Page 11
1. bain ; lion ; quoi ; ceci ; tête ; vous ; feux ; main.
2. corps ; étage ; lèvre ; radio ; force ; boîte ; école ; appel.
3. désert ; langue ; lancer ; nombre ; vivant ; crayon ; souris ; genoux.
4. vitesse ; service ; réussir ; environ ; décider ; lumière ; ciseaux ; fenêtre.

Page 13
1. de l'anniversaire de Croque-Mots ; 2. avec des ballons et des guirlandes ; 3. des bonbons, des croustilles, des gourmandises de toutes sortes ; 4. célébrer, terminer ; 5. 16 adjectifs : préparé, superbe, meilleurs, belle, beaux, multicolores, accrochés, ensoleillées, majestueuses, affriolantes, énormes, emballées, enfantin, endiablée, mémorable, meilleur.

Page 15
Je place, tu places, il place, nous plaçons, vous placez, ils placent.
Je grandis, tu grandis, il grandit, nous grandissons, vous grandissez, ils grandissent.
Je soufflais, tu soufflais, il soufflait, nous soufflions, vous souffliez, ils soufflaient.
Je prends, tu prends, il prend, nous prenons, vous prenez, ils prennent.
Je pesais, tu pesais, il pesait, nous pesions, vous pesiez, ils pesaient.
Je dois, tu dois, il doit, nous devons, vous devez, ils doivent.

Page 16
Salut Croque-Mots ! Je t'écris pour te dire que je ne pourrai pas aller à ta fête demain car je suis malade. J'ai plein de boutons sur tout le corps. Ma mère m'a dit que c'est la varicelle. Ça pique ! Bonne fête ! À bientôt ! Samuel

Page 19
étoile ; chanteuse ; mondiale ; chansons ; miroir ; cuillère ; famille ; vaisselle ; père ; violon ; mère ; accordéon.

Page 22
1. bleu ; 2. chandail ; 3. Montréal, Laval, Dorval ; 4. trompette, clarinette ; 5. bouche ; 6. bateau ; 7. tulipe ; 8. Canada ; 9. râteau ; 10. maringouin ; 11. louche ; 12. rat, chat ; 13. Québec ; 14. veste ; 15. Italie, États-Unis, Chili ; 16. violet ; 17. loup, hibou ; 18. piano, piccolo ; 19. train ; 20. jonquille.

Page 24
1. radio ; 2. salon ; 3. vitesse ; 4. bouteille ; 5. fleuve.

Page 25
De gauche à droite : guerre ; moitié ; paraître ; affaire ; ramener ; bonhomme ; machine ; ouvrage ; million ; éclairer ; longtemps ; important ; gentil ; framboise ; choisir ; hôpital ; obliger ; différent ; question ; soigner ; inviter ; prochain ; meuble ; expliquer.

Page 26
1. détruire ; 2. meuble ; 3. machine ; 4. pleuvoir ; 5. spectacle ; 6. retard ; 7. terrain ; 8. vivant ; 9. soldat ; 10. maladie.

Page 27
1. portefeuille ; 2. moutarde ; 3. couteau ; 4. poubelle ; 5. découper ; 6. parapluie.

Page 28
agréable ; camion ; désert ; détruire ; double ; et ; étage ; facile ; film ; fin ; fleuve ; fraîche ; framboise ; hôpital ; langue ; lèvre ; maladie ; mille ; mode ; moitié ; morte ; naître ; ouverte ; pâle ; parent.

Page 29
Une partie de la bouche de la fille ; l'écusson sur la casquette de Croque-Mots ; les taches de rousseur du garçon ; l'objet à droite de l'ordinateur du fond ; une patte de la table ; la gomme à effacer ; une des touches du clavier ; les pages du livre ; des traits sur l'ordinateur de Croque-Mots ; une partie du crayon de gauche.

Page 33
carambole ; kaki ; litchis ; pamplemousses ; poires ; groseilles ; brocoli ; chou ; haricots ; aubergine.

Page 34
1. épluche, sépare ; 2. prendrons ; 3. tranché ; 4. brasses, manger ; 5. ferais ; 6. préparerez ; 7. vident, nettoyer ; 8. cuisinaient ; 9. ranges ou rangeras.

Page 36
1. Vous récoltez des légumes ; 2. Vous demandez des verres de jus à des professeurs ; 3. Nous dansons avec des amies ; 4. Nous poserons des questions à nos directeurs ; 5. Ils chanteront devant les classes pour des fêtes ; 6. Vous apporterez les filets de tennis ; 7. Si vous vouliez, vous donneriez des leçons de piano ; 8. Nous prêtons nos costumes d'éducation physique ; 9. Nous réfléchissons à des stratégies amusantes.

Page 37
1. Dois-je appeler mon dentiste pour un nettoyage ? 2. Apportez-vous une crème hydratante pour la peau ? 3. Prendrons-nous une bonne tisane pour relaxer ? 4. Penses-tu à tes mouvements de danse ? 5. Doit-elle maigrir pour sa santé ? 6. Étaient-ils plusieurs à s'entraîner au centre sportif ? 7. Cours-tu avec un ami pour te mettre en forme ? 8. Pourrai-je participer aux olympiques de mon quartier ? 9. Applaudirons-nous les exploits du champion de la classe ?

Page 38
1. genou ; 2. sourcil ; 3. coude ; 4. mollet ;
5. nuque ; 6. nombril ; 7. thorax ; 8. cheville.

Page 41
agrippant ; grattant ; regardant ; lavant ;
savonnant.

Page 43
3. une femme se prépare à accoucher ;
5. un vrai jeu d'enfant.

Page 44
1. trotte ; 2. marche ; 3. glisse ; 4. saute ;
5. tournoie ; 6. roule ; 7. file ; 8. sautille ; 9. rampe ;
10. vole ; 11. nage.

Page 45
Endroits : chemin ; garage ; montagne ; piscine ;
piste ; patinoire.
Sports : patiner ; skier ; alpinisme ; hockey ; golf ;
natation.
Objets : auto ; patin ; sac ; ski ; bâton ; balle.

Page 46
2. lettres ; 3. poissons ; 4. pain ; 5. viande ;
6. photos ; 7. repas ; 8. nourriture ; 9. argent ;
10. légumes et céréales ; 11. médicaments ;
12. différents articles : vêtements, disques,
souliers ; 13. fleurs ; 14. miel ; 15. volailles ;
16. devoirs et leçons ; 17. musique et concerts ;
18. confiseries ; 19. livraisons ; 20. plans.

Page 47
équitation ; baseball ; boxe ; basket-ball ;
haltérophilie ; hockey ; natation ; football ; patin ;
tennis ; gymnastique ; ski ; jeu de quilles ; pêche ;
tir à l'arc ; escrime.

Page 48
1. utilise ; 2. allonge ; 3. ferme, détends ; 4. laisse ;
5. relaxe ; 6. étire ; 7. sens ; 8. ouvre, assis ;
9. marche ; 10. prends.

Page 50
2. marcheur ; 3. nettoyeur ; 4. joueur ; 5. crieur ;
6. patineur ; 7. flâneur ; 8. serveur ; 9. laveur ;
10. plongeur ; 11. travailleur ; 12. emballeur ;
13. peintre ; 14. livreur ; 15. dirigeant ;
16. conteur ; 17. postier ; 18. écrivain ; 19. voleur ;
20. amoureux.

Page 54
1. rayon ; 2. dérailleur ; 3. frein ; 4. selle ; 5. cadre ;
6. poignée ; 7. guidon ; 8. câble ; 9. fourche ;
10. pédale ; 11. chaîne ; 12. valve.

Page 55
Féminin : annexe ; épaule ; église ; annonce ;
épidémie ; escale ; épingle ; allumette ;
espadrille ; écharpe.
Masculin : avant-midi ; escalier ; embouteillage ;
angle ; épisode ; espace ; avion ; aéroport ;
éclair ; appétit.

Page 56
des chevaux ; les signaux ; les hôpitaux ; les
hiboux ; des détails ; des noix ; les carvavals ; les
feuilles ; des chalumeaux ; les cailloux ; des fous ;
des rails ; les pneus ; les chandails ; des sous ; des
oraux ; les puits ; des cieux ; des épouvantails ;
des orignaux.

Page 57
1. vous : 2e pers. plur. ; 2. tu : 2e pers. sing. ;
3. il : 3e pers. sing. ; 4. elles : 3e pers. plur. ;
5. j' : 1re pers. sing. ; 6. il : 3e pers. sing. ;
7. elle : 3e pers. sing.

Page 59
1. un garçon ; 2. Saint-Donat ; 3. un petit chalet
pour se réchauffer.

Page 61
soleil : masc. sing. ; fois : fém. sing. ; ville : fém.
sing. ; temps : masc. sing. ; mois : masc. sing. ;
août : masc. sing. ; année : fém. sing. ; festival :
masc. sing. ; mongolfières : fém. plur. ;
centaines : fém. plur. ; ballons : masc. plur. ;
formes : fém. plur. ; ciel : masc. sing. ; splendeur :
fém. sing. ; milliers : masc. plur. ; gens : masc.
plur. ; coins : masc. plur. ; pays : masc. sing. ;
expérience : fém. sing. ; balade : fém. sing. ;
bouts de choux : masc. plur. ; yeux : masc. plur. ;
couleurs : fém. plur. ; détour : masc. sing.

Page 62
Horizontalement : 1. finissait ; 3. nourris ;
5. grandiriez ; 7. tenais ; 9. mordriez.
Verticalement : 2. serviront ; 4. range ;
6. mettent ; 8. faisons ; 10. pardonne.

Page 63
Intrus : mongolfière.

Page 64
1. Les gros avions planent dans les cieux.
2. Les Concordes sont des avions très rapides.
3. Des passagers dégustent des choux de Bruxelles.
4. Les mécaniciens vérifient des pneus avant de décoller.
5. Ces monsieurs doivent prendre les avions pour se rendre à des festivals spéciaux.

Page 66
B. 1. déterminant (fém. sing.)
2. nom commun (fém. sing.)
3. déterminant (fém. sing.)
4. nom commun (fém. sing.)
5. verbe « fendre » (ind. prés., 3e pers. sing.)
6. déterminant (masc. sing.)
7. nom commun (masc. sing.)

C. 1. déterminant (masc. plur.)
2. adj. qual. (masc. plur.)
3. nom commun (masc. plur.)
4. verbe « raffoler » (ind. prés., 3e pers. plur.)
5. déterminant (fém. sing.)
6. nom commun (fém. sing.)
7. déterminant (fém. plur.)
8. nom commun (fém. plur.)

Page 71
Nous avons frappé une immense roche sous-marine. Nous demandons de l'aide.

Page 72
1. Près de chez moi, on peut apercevoir les gigantesques bateaux qui naviguent sur le fleuve St-Laurent.

2. Ces bateaux voyagent vers les Grands Lacs. Ils se dirigent aussi vers l'océan Atlantique.
3. À chaque jour, on les voit, majestueux et solides, fendre le fleuve avec des tonnes de marchandises.
4. Sur ces bateaux, plusieurs personnes dirigent et entretiennent les ponts. C'est le capitaine du bateau qui donne les ordres.
5. On a l'impression de vivre dans un village tellement il y a de commodités : cinéma, buanderie, cafétéria, chambre et salon pour permettre aux matelots de bien se reposer.
6. C'est une vie de château, sur un bateau.

Page 74
attendons ; mois ; milliers ; départ ; rivière ; canotiers ; frère ; liste ; courses ; nerveux ; jeux ; donné ; pistolet ; crie ; gagnera ; parents ; participer ; podium ; frérot.

Page 79
embrasser ; extrêmement ; mystérieux ; expression ; frontière ; immédiatement ; quelques-uns ; intelligence.

Page 83
2. Il arrive avec un sifflet.

Page 84
1. 48 : quarante-huit ; 19 : dix-neuf ; 25 : vingt-cinq ; 52 : cinquante-deux ; 73 : soixante-treize ; 100 : cent ; 86 : quatre-vingt-six ; 31 : trente et un ; 29 : vingt-neuf ; 66 : soixante-six ; 95 : quatre-vingt-quinze ; 89 : quatre-vingt-neuf ; 34 : trente-quatre ; 106 : cent six ; 41 : quarante et un ; 37 : trente-sept ; 120 : cent vingt ; 22 : vingt-deux ; 107 : cent sept ; 77 : soixante-dix-sept.

Page 85
1. c ; 2. m ; 3. g ; 4. i ; 5. l ; 6. p ; 7. b ; 8. j ; 9. n ; 10. a ; 11. o ; 12. e ; 13. f ; 14. h ; 15. d ; 16. k.

Page 86
1. achèterais ; 2. verriez ; 3. pourrais ; 4. seraient ; 5. travaillerions ; 6. inquièterais ; 7. deviendrais ; 8. gèlerions.

Page 87
Framboise.

Page 88

chat	chatte	chaton	miauler
chien	chienne	chiot	japper
bœuf	vache	veau	meugler
canard	cane	caneton	nasiller
cerf	biche	faon	bramer
daim	daine	faon	bramer
chameau	chamelle	chamelon	blatérer
cheval	jument	poulain	hennir
porc	truie	porcelet	grogner
lapin	lapine	lapereau	clapir
lièvre	hase	levrault	vagir
lion	lionne	lionceau	rugir
loup	louve	louveteau	hurler
mouton	brebis	agneau	bêler
ours	ourse	ourson	grogner
tigre	tigresse		feuler
coq	poule	poussin	chanter
sanglier	laie	marcassin	grommeler
âne	ânesse	ânon	braire
éléphant	éléphante	éléphanteau	barrir
bouc	chèvre	chevreau	bêler

Page 89
Le trésor est sous la lampe.

Page 92
De gauche à droite : 5, 6, 2, 3, 1, 4.

Page 93
1. 10 piquets ; 2. 4 chaises et 2 tabourets ; 3. 74 pattes ; 4. 5 doigts ; 5. 18 lacets ; 6. blanc.

Page 94
1. viticulteur ; 2. radiologue ; 3. apiculteur ; 4. architecte ; 5. aviateur ; 6. neurologue ; 7. comptable ; 8. musicologue ; 9. journaliste ; 10. biologiste ; 11. cuisinier ; 12. exterminateur.

Page 95
1. g ; 2. h ; 3. c ; 4. d ; 5. k ; 6. l.

Page 96
! ! ? . . ? ! . . ? . . ! !

Page 97
8/15 : Ann.

Page 99
allonger ; espèce ; appareil ; esthétique ; planète ; pharmacie ; inventaire ; plafond ; asphalte ; esquimau ; recette ; finalement ; bâtisseur ; commentaire ; espionner.

Page 104
les journaux des animaux ; des repas amicaux ; les animaux originaux ; les signaux des cardinaux ; les poissons dans les bocaux ; les bals et les festivals ; les hiboux et les matous ; les trous des cailloux ; les joujoux des toutous ; les poux des minous ; les bijoux dans les locaux ; les sous dans les bocaux ; les cous des cardinaux ; les genoux des caporaux ; des chacals et des hiboux.

Page 105
1. triathlon ; 2. haltérophile ; 3. pays ; 4. synchronisée ; 5. argent, deuxième ; 6. vélo ou badminton ou tennis ; 7. juges ; 8. compétition, volonté ; 9. badminton, moineau ou tennis, balle.

Page 106
1. un panier de basket-ball ; 2. la boxe ; 3. le saut en hauteur ; 4. le golf.

Page 107
1. savoureux ; 2. impatient ; 3. incolore ; 4. vivant ; 5. opaque ; 6. travailleur ; 7. ardu ; 8. inodore ; 8. colorer ; 9. insipide.

Page 109
1. des milliers ; 2. l'équipe adverse ; 3. la musique, les spectateurs, les joueurs, les applaudissements et les cris, la mascotte Youppi, les vendeurs de hot-dogs, l'écran géant ; 4. avec son père ; 6. cette fameuse roche blanche, ce petit trésor.

Page 110
supportable ; résonne ; banquière ; lionne ; capable ; étrangère ; quarante ; cassante ; fouille ; policière ; nouille ; infatigable ; brillante ; gentille ; cavalière ; guenille ; tannante ; respirable ; bougonne ; bergère ; ronronne ; plaisante ; plante ; carillonne ; chenille.

Page 111
écris ; dormir ; aimerais ; idées ; bicyclette (vélo) ; film ; maïs soufflé ; mère ; parents ; oiseaux.

Page 112
son ; sont ; sont ; son ; son ; son ; son ; son ; sont.

Page 113
apprendre ; aujourd'hui ; bonhomme ; bouteille ; chanteuse ; comprendre ; construire ; croire ; derrière ; découvrir ; différente ; embrasser ; expliquer ; fatiguer ; franche ; gramme ; hôpital ; importante ; jusque ; longtemps ; malheur ; meilleur ; morceau ; nommer ; ombre ; ouvrage ; paraître ; passage ; plusieurs ; posséder ; professeur ; quatrième ; rapporter ; restaurant ; système ; théâtre ; vitesse ; langue ou longue.

Page 116
Noms communs : match ; joueur ; partie ; équipe ; fin ; monde ; touche ; pointage ; fait ; service ; fin ; équipe ; match ; chance.
Noms propres : Christian ; Séguin ; Laval ; Chaos ; Blainville ; Christian ; Chaos ; Blainville ; Loups ; Bellefeuille.

Page 117
je rends ; je peux ; je prends ; je parle ; j'écris ; je veux ; j'arrive ; je fais ; j'ai ; j'essaie.

Page 119
1. faux ; 2. faux ; 3. vrai ; 4. vrai ; 5. faux ; 6. faux ; 7. vrai ; 8. faux ; 9. faux ; 10. vrai.

Page 121
euse : nageur ; chanteur ; menteur ; joueur ; peureux.
onne : bon ; patron ; espion ; lion ; mignon.
trice : acteur ; directeur ; opérateur ; instituteur.
e : gamin ; mineur ; américain ; voisin ; client ; grand.
enne : gardien ; indien ; politicien ; musicien ; chien.
ère : boulanger ; policier ; cuisinier.

Page 128
1. a) sont ; b) son ; c) son, son ; d) sont.
2. a) a ; b) à ; c) a, à ; d) à.
3. a) peux ; b) peut ; c) peu, peu ; d) peux.
4. a) mets ; b) mes ; c) mais, mes ; d) mets.

Page 131
Hug ! Moi, Croque-Mots, j'ai vécu deux jours comme les indiens. On s'est fabriqué un tippi pour dormir. On a pêché et mangé notre poisson. J'ai adoré cette expérience.

Page 133
1. a) Quand le printemps arrive, j'adore observer les oiseaux dans mes jumelles.
   b) Quand je leur donne des graines, les oiseaux se précipitent vers la mangeoire.
   c) Quand je vais me promener dans les bois, j'essaie de trouver tous les noms des oiseaux que je rencontre.
   d) Quand je me promenais en tout-terrain, j'ai trouvé un nid abandonné.
   e) Quand j'ai ouvert les grands rideaux, un geai bleu s'est posé sur le rebord de ma fenêtre.

Page 134
2. mince ; papier ; dépourvu ; régiment ; avion.

Page 138
1. les nimbus ; 2. les cumulus ; 3. les stratus ; 4. les cirrus.

Page 139
Aujourd'hui ce sont les olympiades scolaires. Le soleil brille de tous ses feux. Ouf ! Quelle journée en perspective !

Page 140
ère : couturier ; banquier ; pompier.
euse : élagueur ; déménageur ; balayeur.
ve : vif ; neuf ; veuf.
e : cousin ; avocat ; coquin.
trice : réparateur ; éditeur ; acupuncteur.